暗記い

世界史

の教科書 ｜ 神野正史

本当の教養を身につける ｜ *PHP*

はじめに

　私が予備校の教壇に立つようになって30余年。

　その間、数えきれないほどの学生を看てきましたが、私と出逢う前から「正しい世界史学習」をしている学生を見たことがありません。

　彼らがやっている「歴史学習」といえば、寝ても覚めても明けても暮れても「1に暗記！」「2に暗記!!」「3、4がなくて5に暗記!!」と、まさに一から十まで暗記づくしです。

　これはもう「正しい」とか「間違い」以前の問題で、そもそも彼らが「勉強」だと信じて行ってきた作業は「勉強」ですらありません。

　つまり、彼らは私と出逢うまで、ただ「歴史用語の暗記作業」をしていただけで「勉強」なんか一度もしたことがないのです。

　そして定期的に、私にこう訊ねてくる学生が現れます。

「先生。いったいどうしたら、先生のようにそんなにも膨大な世界史知識を暗記できるでしょうか？」

　もう発想からして根柢から間違っています。

　暗記なんかしてたらとても覚えられる量ではありません。

　暗記など一切しなかったから簡単に覚えられたのです。

　しかし、学生がそんな為体なのも、小・中・高と彼らを指導してきた教師らが、誰一人として彼らに「勉強」というものを教えてこなかったからです。

　ではなぜ、教師は「勉強」を教えないのかといえば、教師自身が「勉強」の何たるかをまったく知らないからです。

　彼らもまた学生時代から「勉強」というものを教わったことがなく、暗記作業を「勉強」と思い込まされたまま教壇に立ってしまっているため、自分が教わったとおりに「暗記しろ」と

教えているだけです。

「英語を話せない英語教師」に英語を教わって英語が話せるようになるわけがないように、「歴史をまったく理解できていない世界史教師」に世界史を教わって世界史が理解できるようになるわけがありません。

そこで本書では、30年間、私が河合塾での教室の中だけで教えてきた、暗記のまったく要らない「正しい世界史学習法」を公開いたします。

暗記など一切不要、ドラマや映画を楽しむように歴史に触れているだけで、歴史の展開が手に取るように理解できるようになる、魔法のような世界史学習法をご堪能ください。

ただし、本書は「ゴール」ではありません。

むしろ「スタート地点」に立ったところです。

ここから本書を"座右の書"として、さらに様々な世界史関連の本を読み進めて、細々とした歴史事象をどんどん紐付けていかなければなりません。

そうすることで、その先に、ある日突然、頭の中で歴史の視界がパァッと拓けるように広がるときが来ます。

これを「歴史が見える」といいます。

本書を足掛かりとして、ひとりでも多くの人がこの感覚（エクスタシー）を味わうことができたならば、筆者本懐の至りです。

2019年11月

Contents

古代

中 世

近世

近代

現　代

序章 世界史の学び方

世界史教師も知らない
「正しい世界史の学び方」とは？

世界史の学び方

　丸暗記に頼った世界史の勉強はつまらないし、成績は上がらないし、苦痛だし、覚えられないし、覚えてもすぐ忘れるし、しかもそんなに苦しい想いまでしてたとえ記憶に残ったとしても、そうやって得た歴史知識が将来なにかの役に立つこともありません。

　こんな虚しいことが他にありましょうか。

　もしきちんと「正しい歴史学習」をするならば、勉強そのものが楽しくて仕方なくなるし、暗記しようなどと意識しなくてもどんどん頭に入ってくるし、忘れないし、成績はおもしろいように上がるし、そうして得た歴史知識は社会人になってからも役に立ちます。

　にもかかわらず、今日も今日とて、こうしている今この瞬間も全国の学生は苦行僧のように丸暗記学習を繰り返すという惨状があります。

》 「勉強」などしたことがない学生たち

　学生たちがやっていることと言えば、意味もわからず訳もわからず、歴史的意義も歴史の流れも、事象の有機的関係も地域の相互関係も、同時代史や時代系列も、何もわからないまま、ただただ「歴史用語の丸暗記」を繰り返しているだけです。

　しかしながら、そんなものは断じて「勉強」ではありません。

　彼らは「世界史の勉強」などこれっぽっちもしたことがない

のですから、世界史が理解できるようになるわけがありません。

≫ 暗記しようとするから覚えられない

したがって私の教室では、毎年毎年、世界史の学習法のイロハからひとつひとつ説明してあげなければなりません。

毎年どころか、毎講のように「暗記するな！」「暗記するな！！」「暗記するな！！！」。

この言葉を何度繰り返すかわかりません。

——いいか、諸君！

暗記しようとするからちっとも覚えられないのだ！

暗記しなければどんなに膨大な歴史知識も簡単に頭に入ってくる！

しかし、学生は物心付いたころから「丸暗記教育」を徹底的に叩き込まれてきていますから、この言葉の真意をどうしても理解できず、ちょっとでも気を緩めれば暗記しようとしはじめます。

私の教えに逆らおうとしてではなく、無意識のうちに。

もはや、骨の髄まで「勉強 ＝ 暗記」というのが身に染みてしまっているのです。

だから私は、今日も今日とて声を嗄らして叫びつづけなければなりません。

——暗記するな！

≫ 「世界史」を知らない世界史教師の蔓延

本来であれば、こんな「学問の基本中の基本」、私が教えるまでもなく、高校教師がとっくに叩き込んであげておかなければ

ならないもの。

　ところが嘆かわしいことに、その教師自身が「世界史」という学問をまるで理解できておらず、丸暗記学習を推奨しているという惨状(＊01)にあるのですから、手の施しようがありません。

　本来、教師の仕事とは、学問の何たるかをまったくわかっていない学生に「学問とは暗記ではない」ことを教えてやることです。

　そんなことは、中国では孔子も、日本では福沢諭吉も、その他あらゆる先人たちが繰り返し繰り返し訴えてきたことです。

　にもかかわらず、現実の教育現場ではただただ「歴史用語を丸暗記」させ、「語呂合わせ」「暗記術」など所謂「受験技術(テクニック)」を叩き込んでご満悦という教師ばかり。

　つまり彼らは「受験技術(テクニック)を教える教師」であって、「学問を教える教師」ではないのです。

　その姿は、まさに古代ギリシアを絶頂から滅亡に追いやった「ソフィスト」そのものです。

》　国を亡ぼした元凶、ソフィスト

　古代ギリシアにおいて「民主政(デモクラティア)」が絶頂期に入ると、立候補者(いか)は「如何に天下国家に貢献するか」「如何に自分の政策を国政(ポリシー)に反映するか」ではなく、「選挙演説において如何(いか)にして政敵(ライバル)を

（＊01）彼らはあらゆる詭弁を弄して「丸暗記は正しい勉強法」と主張しますが、彼ら自身、それが「詭弁」だということにすら気がついていません。本気でそう信じているのです。なんとなれば、彼らもまた学生時代、悪しき教師に「丸暗記学習」を強いられてきたため、そのやり方しか知らないし、理解できないからです。まさに、「ＤＶを受けて育った子が、親になっても我が子にＤＶしてしまう」という構図がそっくりそのまま教育界で繰り返されているのです。

蹴落とすか」「如何に舌先三寸で大衆を魅了するか」という目先の利得に腐心するようになりました。

そうした彼らの要望に応える形で「詭弁術」を教える教師・ソフィストが現れます^(*02)。

そうなると、ソフィストに鍛えられた立候補者——すなわち「口だけは達者だが政治手腕はからきし」という煽動政治家（デマゴーゴス）ばかりが跋扈するようになり、「民主政（デモクラティア）」はたちまち「衆愚政（オクロクラティア）」へと堕落して、故国（アテネ）を衰亡させていくことになったのでした。

「目先の利得だけに捉われた教育が国を亡ぼす」という歴史的教訓を現在まで伝える故事ですが、現代日本に横行している「目先の利得——筆記試験（ペーパーテスト）の空欄を埋めるためだけに極度に特化された小手先の受験技術（テクニック）——ばかりを教える教師」とソフィスト、どこが違うでしょう。

ソフィストから教わった「詭弁術」は目先の選挙演説には役に立っても、肝心の政治家になったあとは何の役にも立たなかったどころか、煽動政治家（デマゴーゴス）という国を亡ぼす元凶を多く生み出しただけでしたが、同じように、現代の丸暗記主義教師から教わった「受験技術（テクニック）」など、たとえ目先の受験に役に立ったとしても、社会人になればその知識は何の役にも立たないどころか、弊害でしかありません^(*03)。

（＊02）アリストファネスの代表作『雲』の中でもソフィストは嘲笑的に批判されており、「正しいか正しくないかはお構いなしに弁論に勝つ詭弁を教える者」と評されている。

（＊03）社会に出れば「丸暗記」など何の役にも立ちませんが、学生時代を丸暗記のみで乗り切った者は、問題解決法としてその対処法（丸暗記主義）しか知らず、それで対処しようともがくためです。

そもそも。

本来、世界史教師にとって「細かい歴史用語を覚えさせること」など、食事で言えば“副菜”にすぎず、“主食”はあくまでも「世界史を学ぶことがどんなにおもしろいか」を教えることであり、“主菜”は「世界史を学べばどれほど人生に役に立つか」を伝えることです。

確かに入試で問われるのは“副菜”の方です。

しかしながら、だからといって普段から“主食”も“主菜”も食べさせずに“副菜”ばかり口の中にムリヤリ押し込まれたのでは、嫌いになってしまうのは当たり前です。

嫌いになるから食べない、食べないから成績は上がらない、たとえむりやり食べても“主食”も“主菜”も食べてないのですから栄養に偏りが起こって身体を壊してしまいます。

そんな愚行が今この瞬間も全国津々浦々で堂々と行われているのです。

そんなことしなくても、副菜など主食や主菜の横にちょこんと置いてやるだけでよい。

そうすれば、教師がいちいち「食べろ！」とむりやり口の中に押し込まずとも、おいしく食べられるから口直しに本人が進んで箸を伸ばし、栄養バランスの取れた健康的な食事が摂れる。

だから、社会に出てからも役に立つ壮健な肉体に鍛え上げられる。

一般的に言って、1年間一生懸命「丸暗記学習」したとして偏差値を10上げることができる学生は少ない。

しかし私の教室からは、偏差値20〜30と部外者にはなかなか信じてもらえないほどの常識外れな上がり方をする学生が続出

するのはそのためです（＊04）。

》　絵を描くために解剖学を学んだダ＝ヴィンチ

ところで、学生がなぜ暗記に走るかといえば、世界史が"見えない"からです。

「万能の天才」と謳われた、かのレオナルド＝ダ＝ヴィンチは、画家でありながら「解剖学」の研究もしていることはとみに有名です。

絵を描くのに「解剖学」の知識など必要なさそうに思えますが、じつはこれこそが彼の名を後世に留めることになった理由となります。

画家が人物画を描くとき、彼らがその眼で見ているのは表面の「肌」かもしれませんが、その「肌」の形を正確に描くためには、その「肌」の奥に隠されていて目には見えない人体の筋肉構造や骨格などの内部構造を理解していなければならないからです。

レオナルドは人物画を描くとき、目では皮膚を見ながら、頭ではその下の筋肉構造や骨格を思い浮かべながら描いていたのです。

だからこそ、彼が描き出した作品は極めてデッサン力に優れ、リアルなものとなり、彼の名が歴史に刻まれることになったのでした。

それは、彼と同時代の有名画家（＊05）の作品を覧れば一目瞭然、

（＊04）過去にはたった半年で偏差値が「56（27→83）」上がった子すらいます。

（＊05）しかし、その時代だけの"流行画家"として終わり、歴史の中に埋もれ、その名を留めることができなかった画家。

歴史に埋もれて消えていったレオナルドと同時代の画家の絵は明らかにデッサンが狂っています。

それは、彼らが表面の「肌」しか見ていなかったからです。

》 歴史を理解するためにその構造を学ぶ

歴史を学ぶのもこれとまったく同じです。

世界史を学ぶ（絵を描く）に当たってまず知っておかなければならないのが「歴史の表面に現れた事件・出来事・戦争・人物など歴史事象の数々（肌）」ではなく、それらを生み出した母体となる「世界史の全体構造（解剖学）」なのです。

それさえ理解できていれば、入試で問われる歴史用語など覚えようとするまでもなくするすると頭に入ってきます。

ところが、市井に溢れる世界史の教科書・参考書・一般教養書のどれひとつとっても、ただただ表面に現れた事件名・戦争名・人物名などの「歴史的事象（肌）」だけを列挙し、それをなぞっているだけで、「世界史の全体構造（解剖学）」に触れたものなどひとつもありません。

これでは、学生が暗記頼りに陥ってしまうのは仕方ない側面がありますが、それを諭す立場にある世界史教師たちですら知らないという惨状です。

Ａ．ヴェロッキオ（*06）がそうしたように、本来、世界史教師が学生に教えるのは「世界史の全体構造（解剖学）」であって、直接入試で訊いてくる「具体的な歴史的事象」などはそれを説明

（＊06）レオナルド＝ダ＝ヴィンチの師匠で、レオナルドに解剖学を学ぶことを勧めた人物。

する過程で触れるだけでよい。

そこで本書は、世界史学習の根本に立ち戻り、「世界史の全体構造」について解説する ── という類書なきものですので、学生はもちろん、世界史を学び直したいと考えている社会人にも有用な一書となります。

》 教科書の世界史記述方式

歴史の記述をどう説明してあげれば、履修者が理解してくれるか。

これは教える側にとっては大テーマで、三次元の丸い地球を二次元の平たい地図に落とし込むのと同じくらいの難問です。

地図の世界では、距離を重視するのか、面積を重視するのか、方位を重視するのか、形を重視するのかでさまざまな図法が考案されていきました[*07]が、歴史に関しては、たとえば中国では年号を重視して解説する「編年体」、人物を重視して解説する「紀伝体」、事件を重視して解説する「紀事本末体」など、さまざまな歴史記述方式が生まれましたが、どれも一長一短、帯に短し襷に長し。

では、世界史教科書はどうかというと、そのどれでもなく、「中途半端なところで区切った各国史の寄せ集め」といったところです。

まず、A₁国史・B₁国史・C₁国史……とその国で起きた歴史事象をタテ（各国史）に教えていき、それがひと通り終わると、

（＊07）メルカトル図法・モルワイデ図法・正射方位図法・グード図法などさまざまな図法が考案されましたが、どれも一長一短で、誰もが認める図法はいまだに存在しません。

ふたたびA$_1$国史に戻ってきて２周目の解説に入る（同時代史）のですが、１周目の時にA$_1$国史は途中で切り上げてB$_1$国史の説明に移っていたので、A$_1$国史の途中から解説が始まりますが、次のB$_1$国は説明の都合上、すでに２周目の時代まで説明してしまっていたためこれを飛ばし、C$_1$国はすでに亡んでいるのでC$_2$国史の解説をし、つぎのD$_1$国はE$_1$国に併合されていたので、さしたる説明もなくさらりとD$_1$国史を飛ばしてE$_1$国史の説明に入ったり、もう法則性のない無規律な順番（＊08）で説明をしていきます。

　世界史知識のない学生がこんなものを読んだところで、今どこの地域の何を学んでいるのかさっぱりわからなくなってしまい、その結果、学生は丸暗記に走ってしまう――という惨状があります。

　もっとも、そもそも教科書というものは「始めに高校教師の授業ありき」を前提として書かれた、あくまで補助教材ですので、こうした教科書の欠点は教師が補っていかなければならない……はずなのですが、現実の世界史教師は教科書をなぞるだけしかできない輩ばかりです。

≫　参考書の世界史記述方式

　しかし、教科書と違って参考書は基本「独学用」ですから、本来このような欠点があってはなりません。

　にもかかわらず、現実にはそのほとんどが忠実に教科書に準

（＊08）もちろん、執筆者側にはひとつひとつちゃんと理由があってそういう形になっているのですが、まだ世界史の知識がない未履修者にはそう見えるという意味です。

じているため、教科書の欠点をそのまま引き継いでいる有様。

しかし、こうした惨状に新風を吹き込まんと、完全に<ruby>タテ<rt>タテ</rt></ruby>割り（各国史）で解説する参考書もありますが、これは一国史は理解できても同時代史がさっぱり理解できないという致命的欠点があります。

世界史理解のためには「各国史（<ruby>タテよみ<rt>タテよみ</rt></ruby>）」よりも「同時代史（<ruby>ヨコよみ<rt>ヨコよみ</rt></ruby>）」の方が圧倒的に重要ですので、そこで今度はヨコ（同時代史）だけの解説に特化した参考書もあるにはあるのですが、残念ながらこれも致命的な欠陥を抱えています。

それは、世界史をヨコに輪切りする箇所を「〇世紀の時代」というように、つねに「世紀」で区切っている点です。

言うまでもないことですが、「世紀」というものは単純にイエス＝キリストが生誕した年を以て元年（＊09）とし、それを前後100年ずつに区切った、ただそれだけのものであって、「歴史段階」とは何の関係もありません。

歴史の動きとまったく関係もないところで歴史の"流れ"や"段階"などをまったく無視してブツ切りにしているわけですから、これは「同時代史」を謳いながら結局「各国史を束にしてむりやりブツ切りにしただけ（各国史の亜流）」という代物となってしまっています。

» 「各国史」と「世界史」は別物

このように、教科書方式も各国史（<ruby>タテよみ<rt>タテよみ</rt></ruby>）も同時代史（<ruby>ヨコよみ<rt>ヨコよみ</rt></ruby>）も、表面的には

（＊09）その後、研究が進んでイエス生誕の年は「西暦元年」じゃないことが判明しましたが、一度定めてしまった暦は変えられず、そのままにしてあるため、現在では「西暦元年」は何の意味もない数字になってしまっています。

いろいろな"切り口"で世界史を解説しているように見えますが、その本質はすべて「各国史の寄せ集め」となってしまっている現状があります。

しかしながら、どんなに成長しても猫は猫であり、けっして虎にはならないように、「各国史の寄せ集め」はどれほど多くの歴史事象をかき集めようとも、どんなに"見せ方"を変えようとも、所詮「各国史の寄せ集め」であって、本来の「世界史」と呼べる代物にはなりません。

では、「各国史の寄せ集め」と「世界史」の決定的な違いは何でしょうか。

それは、「各国の歴史をバラバラに解説している」か「それを有機的・構造的・立体的に解説している」かという違いです。

現実の「世界の歴史」は、各国の歴史が「世界史」という枠の中で密接に関わり合いながら動いています。

それを無視して「世界史」は語れず、それを究明・理解していくことが「世界史」という学問の神髄なのであって、それがないものは「各国史の寄せ集め」にすぎません。

》　各国史は「世界史」の中で規律正しく動く

たとえば点描画は、近くから見るとさまざまな色彩の"点"が無規律に集まっているようにしか見えませんが、少し離れて全体像を見ると、たちまち点と点が美しい調和（ハーモニー）を紡ぎ出し、すばらしい絵を描き出します[*10]。

（＊10）実際、G.スーラが新印象派の画展を開いたところ、当時の画壇の批評家たちは点描画という手法を理解できず、「この黒い点々は何かね？」と訊ねたという逸話があります。

これと同じように、歴史も表面に現れた歴史的事件だけを見ると、各国が自由意志の下にバラバラに展開しているように見えますが、歴史には「流れ」というものがあり、その流れには「段階」があり、その段階ごとに「特性」があり、その中に生きている人々や国々は、つねにその時代ごとの「特性」の枠の中でしか動けないため、一見ばらばらに動いているように見えて、じつは統一的・調和的な動きをしているのです。

たとえば、蟻（アリ）は近距離から一個一個の個体を観察していると、それぞれがバラバラ・無規律・自由奔放に走り回っているように見えます。

これを一匹一匹のバラバラの動きをそのまま記録するのが「各国史」の発想です。

しかし、この蟻（アリ）の群を少し離れて見ると、整然と隊列を組んで規律ある動きをしていることがわかります。

この規律ある動きを研究する学問が「世界史」です。

» プロ棋士と将棋素人との違い

もうひとつわかりやすい例を挙げれば、「将棋」です。

将棋に疎（うと）い人にとって、120手前後に及ぶ一局分の棋譜（駒の動きを記録したもの）をすべて暗記するのはたいへんです。

なんとなれば、一手一手の駒の動きの理由がまったくわからないため、すべての駒がただ「無規律な動き」をしているようにしか見えないからです。

そのため、一局分の棋譜を覚えようと思ったら、120回分の駒の動きすべてをただひたすらに丸暗記するしかありません。

そのうえ、そうやって苦労して丸暗記した棋譜がのちのち何かの役に立つということもありません。

しかし、棋士は対局が終わったあと「感想戦」に入りますが、その時点ですべての棋譜を再現することができます。

　棋士は、棋譜を丸暗記したのではありません。

　将棋には「戦法」があり「定跡」があって、そうしたものが複雑に絡みあって"流れ"があるため、その"流れ"さえ理解していれば、あとはひとつひとつの駒の動きなどかんたんに導き出すことができるからです。

　つまり、棋士が感想戦で対局を再現できるのは、一手一手すべてを覚えているというより、その対局の"流れ"からその都度演繹（＊11）しているためです。

　そして、棋士たちはその棋譜を何度も吟味・反復して、そこから自己の悪手を反省し、これを糧として次の対局に役立てることができます。

》　正しい世界史学習法

　世界史学習法もこれとまったく同じです。

　「将棋素人の棋譜の覚え方」がこれまで世間に蔓延している世界史の学習法です。

　「歴史の流れや段階・特性（定跡・戦術）」など考えたこともなく、ただひたすらに歴史事象（棋譜）を丸暗記しているだけ。

　だからちっとも覚えられないし、苦痛でしかないし、そうやって覚えた歴史知識（棋譜）が何かの役に立つということも一切ない。

　「正しい世界史の学び方」とは、歴史の流れや段階・特性（定

（＊11）一般的・普遍的な法則から、個別の具体例を導き出すこと。

跡・戦術）を理解することが第一義です^{（＊12）}。

それさえ理解できていれば、細かな歴史事象など、その時代の特性に紐付けてやるだけで、簡単に頭に入ってきます。

》「世界史が見える！」とは？

そこで、細かい歴史事象の説明は他書に任せるとして、本書は世界史全体の「大きな流れ」「その段階」「その特性」について解説していこうというものです。

本書で解説された歴史段階の意味・特性・大きな流れを理解した上で、他書にて細かい歴史事象を学んで、これに当て嵌めていくならば、歴史の動きが手に取るように理解できるため、まったく暗記に頼ることなく、つぎつぎと細かい歴史事象を頭に叩き込むことができるようになります。

そして、これに一定レベルの歴史事象が紐付けられ、それらが有機的・構造的・立体的に理解できるようになると、その先に待っているのは「世界史が見える」という感覚です。

この「世界史が見える」という感覚を体感している人など、高校教師、予備校講師、参考書をたくさん出しているような先生でもほとんどいません。

彼らは「受験に出題される歴史用語をたくさん知っている」というだけで「世界史」なんかてんでわかっていない者たちばかりです。

本書で学び、これを基盤として世界史を学んでいくならば、

（＊12）そこが一番重要なのに、そこのところをすっ飛ばして「棋譜を丸暗記すれば将棋に強くなれる」とでも思っているのが、現在世間に蔓延している世界史学習法です。

その先には「世界史が見える」という感覚を開眼することができるでしょう。

　それでは、『暗記がいらない世界史の教科書』、開幕です！

第1幕（1万2000年前～紀元前4000年ごろ）

第 1 章

生産革命

＜先史 新石器段階＞

新石器が導入され、農耕が本格化し、
大きな集落が生まれ、民族が形成されていった時代

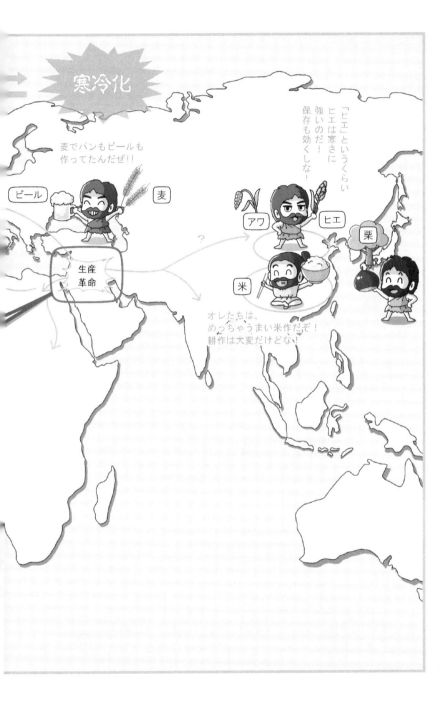

新石器段階の歴史大観

（1万2000年前〜紀元前4000年ごろ）

　この地球上に人類が現れて以来、人類は700万年にもわたって**獲得経済**（狩猟・採集・漁撈など）で日々の糧を賄ってきた。

　しかし、1万2000年〜1万年ほど前に襲いかかった激しい気候変動が人類に技術革新を促し、「**新石器**（磨製石器）」が使用されるようになったとき、人類史は大きく動きはじめる。

　新石器は農耕を定着させ、土器を生み、家畜を飼養し、集住を促して大きな集落が形成され、やがて文明が産声をあげる。

　こうして人類最初の**生産革命**は**オリエント**に灯り、以降はそこを起点として西は東地中海からヨーロッパへ、東は西アジアからインド、そして中央アジアから中国へと**ユーラシア大陸全域**へと伝播していった。

新石器段階の歴史展開

（1万2000年前〜紀元前4000年ごろ）

　進化の過程で霊長類から「ヒト」が分岐したのが約700万年前、ようやく礫石器[*01]が使用されるようになったのが約300

（＊01）厳密には「加工されていない石器」のことですが、一般的には「簡単な加工がされた石器（礫器）」まで含めてそう呼ばれています（礫石器と礫器の混同）。

万年前。

以降、原人・旧人、そして我々「新人（現生人類）」まで進化と絶滅を繰り返しましたが、人類は基本的に「旧石器（打製石器）」を使い、狩猟・採集・漁撈などの獲得経済で生計を立てていた、という点において永らく大きな社会変化はありませんでした。

目の前に木の実があればこれを集め（採集）、獣がいればこれを狩り（狩猟）、魚を見つければこれを獲る（漁撈）。

本質的には猿やリス（採集）、虎や豹（狩猟）、熊や海驢（漁撈）などと変わらない生活です。

しかし、永遠に続くかと思われたこうした人類の歴史に激変をもたらしたのは"激しい気候変動"でした。

人類が経験した**最終氷期**[*02]は、約７万年前からゆっくりと地球を冷やしていきましたが、こうした万年単位のゆっくりとした寒冷化なら、人類は人口を減らしながらもこれに対応できますから、従来からの狩猟・採集・漁撈でなんとか凌ぎます。

> ■ 歴史法則01 ■
> 温暖化が人類の発展を支え、寒冷化がこれを崩壊させる。

そうして長く苦しい氷河期を耐え抜き、いよいよ約２万年前を最寒期として温暖化に向かうと、そこから人類は急速に数を増やしていきました。

このとき、もしこのままゆっくりと温暖な気候に向かってい

（＊02）この「最終氷期」のうち、北欧に現れたものは「ヴュルム氷期」、北米に現れたものは「ウィスコンシン氷期」といいます。

たなら、おそらく人類は21世紀を迎えた現在でも農業に手を染めることなく、獣とさして変わらぬ狩猟採集生活をしていたにちがいありません。

じつは「農耕」そのものは、一時的・単発的ながらすでに2万3000年ほど前にも行われた形跡があります（＊03）。

最終氷期の最寒期が迫りくる中、ついに狩猟・採集では生きていけなくなった者たちが農耕にすがりつこうとしたためですが、当座の苦境を凌いだのちは、ふたたび狩猟・採集の獲得経済に戻っていきます。

農業というものは獲得経済など比較にならない手間と労力と知識と協業を要するうえ、農耕をはじめるためにはまず今の生活環境を破壊して農業に適した社会に作り変えなければなりませんから、万一農業社会への移行に失敗すれば、すべての努力がムダになるどころか、元の生活に戻ることすらできず、その先に待っているのは「死滅」だからです。

わざわざそんな危険を冒すより、何百万年と続けてきた安定安心の獲得経済にすがるに決まっているからです。

≫　人類を窮地に追い込んだ気候変動

しかし最終氷期の末期、今から約1万2000年前 ～ 1万年前にかけて数百年という短い周期で急激な "寒の戻り" と温暖な気候

（＊03）イスラエルのガリラヤ湖周辺にて、最古の農耕遺跡（麦）が発見されています。今後もっと古いものも発見されるかもしれませんが、それらはあくまで "単発的" "一時的" なものにすぎず、農耕が定着し各地に広まっていったのが1万年ほど前であることには変わりありません。

が連続して襲いかかってきた^{（＊04）}ことが人類史に絶大な変化を与えることになりました。

> ■ 歴史法則02 ■
> 苦境こそが歴史を動かす原動力となる。

"寒の戻り"が起こるたび、獲得経済では温暖期に増えた人口を支えきれなくなって大飢饉に襲われるようになります。

もはや獲得経済では生き残れないとなれば、好むと好まざるとにかかわらず、すでに一部で行われていた農業（生産経済）にしがみつく以外に道はありません。

しかも、それが連続して起こったことが、これまでのように「一時的に農耕で凌ぐ」のではなく「完全に農耕に移行」する大きな契機となりました。

こうして、700万年にわたって動かなかった人類の歴史がついに動きはじめたのです。

» 生産革命の勃発

世界で初めて農耕が社会に定着したのが**レヴァント回廊**^{（＊05）}のあたりだと言われています。

そうしなければ生き残れないほど、このあたりの気候変動が厳しかったということでしょう。

（＊04）このときの寒冷期を「**ヤンガードリアス・イベント**」といい、温暖化が溶かした大量の氷河が大洋に流れ出たことで海水温が下がり、それに伴って気温も下がってしまう──ということを繰り返したためと考えられています。

（＊05）現在のシリアからパレスティナの東地中海沿岸地域に当たります。

しかし、ひとたび社会に農耕が定着・安定してしまえば、もはや如何に望めども獲得経済には戻れません。

　なんとなれば、生産経済は獲得経済とは比較にならないほど生産性が高いため、それに伴って増加した人口をもはや獲得経済では支えられない[*06]ためです。

　となれば、人々はもはや「農耕とともに生き、豊作とともに栄え、凶作とともに飢える」しかなくなり、人々と農耕は"運命共同体"となります。

　これを「**生産革命**」と言います。

　そうなれば、農耕をよりよいものとするためさまざまな技術革新・社会変化が起こることになります。

　まずなんと言っても、これまでのような「**打製石器**」は農業には向きません。

　穀物の刈り取り作業は、たちまち刃の切れ味を落としてしまいますので、打製石器ではそのたびに石器をまるごと作り直さなければなりませんが、それでは効率が悪すぎるため、刃の部分だけを研ぐ**新石器**「**磨製石器**」が誕生します。

　また、食や経済が穀物とともにあるならば、これを調理・備蓄・運搬する必要が生まれ、それが**土器**を生みます。

　さらなる農耕の効率化・定住生活の安定のため**有蹄類の家畜化**[*07]が起こりましたが、それがやがて専門化し、家畜だけで生計を立てる「**牧畜**」を生みます。

　農耕は多くの労働力を必要とするため、多くの人々が集住し

（＊06）おおよそ30km²前後の土地があれば、農耕社会では500人ほどの人々を養うことができますが、獲得経済ではたった1人しか生きていけません。

（＊07）豚・牛・鶏・山羊・羊など。犬の家畜化はすでに獲得経済のころから始まっていました。

て大きな**集落**が生まれ、**都市の萌芽**も始まります。

　もっとも、本格的な「都市」に脱皮するためにはまだ"足りないもの"がありましたから、その成立は次時代を待たなければなりませんが。

》　生産革命の世界伝播

　こうして、農業は人間生活や経済に"革命"を与えることになりましたが、ひとたび生産経済が安定したとなれば、獲得経済では生産経済に太刀打ちできませんので、瞬く間に世界中に拡がっていくことになります。

　農業の発祥には大きく分けて「中東から世界に拡がっていったとする**一元説**」と「世界各地で同時多発的に生まれたとする**多元説**」がありますが、「一元説」を採るなら、その発祥がシリアあたりであることは偶然ではないでしょう。

　地政学的に見てここはアジア大陸・ヨーロッパ大陸・アフリカ大陸の結節点にあると同時に物流の結節点でもあり、三大陸に拡がっていくには地理的にもっとも適した土地だからです[*08]。

　ここ以外のところで農耕が始まったとしても、山岳・海・砂漠・荒野などに隔てられて他地域への伝播が難しく、他地域に拡がりを見せる前に大凶作によって亡び、結局一時的なものとして消える運命となってしまう可能性が高いためです。

（＊08）ただし「一元説」を採ったとしても、アメリカ大陸はこれら三大陸から孤立していたため、「一元説」の例外となります。

》 "光"はオリエント$^{(*09)}$から

　まず、約1万年ほど前にヨルダン河口付近のイェリコ$^{(*10)}$に、少し遅れて8500年ほど前にザグロス山麓のジャルモに農耕集落が生まれると、これらを皮切りとして、以降「肥沃なる三日月地帯$^{(*11)}$」につぎつぎと農耕集落が拡がり、多くの遺丘が形成されていきました。

　集落は当然農耕に有利な土地につくられますが、洪水・干魃などの自然災害で放棄されてしまうこともたびたび。

　しかし自然災害が落ち着けば、この農耕に有利な土地にふたたび人々が戻ってきて、打ち棄てられた旧い集落の上を覆いかぶせるように新しい集落を建設するということが繰り返されたため、集落は徐々に盛り上がって丘状になります。

　そのため、後世の考古学者がこの遺跡を発見すると、これを「遺丘」と呼ぶようになったのでした。

》 ユーラシア大陸へと拡がる農耕

　こうして定着した農耕は、紀元前5千年紀いっぱいをかけて「肥沃なる三日月地帯」を中心として東はアジアへ、西はヨーロッパへと拡がっていき、紀元前4000年ごろまでにユーラシア大陸全体に拡がりました。

（＊09）「オリエント」とは、古代において「現在の東地中海沿岸地域からイランのあたり」を指す地域名。

（＊10）『旧約聖書』では「エリコ」の名でたびたび登場します。出エジプトを経たヘブライの民が"約束の地"で最初に陥とした城として有名（「ヨシュア記」）。

（＊11）アメリカ人オリエント史家のブレステッドが命名した地域名で、現在のイラク・シリア・パレスティナを含む一帯。広義にはエジプトまで含めることも。

ただし、オリエントが麦栽培であったのに対して、このころの中国では**黄河流域では稗・粟**など、**長江流域では米**などの栽培が行われており、栽培作物が麦ではないうえ、距離的にも遠すぎるところから、ひょっとしたら、中国の場合はオリエントの農耕が伝わったのではなく、独自に農耕を始めたのかもしれません[*12]。

》　海を隔てた"西の果て"アメリカ大陸の場合

　これに対して、ユーラシア大陸から海で遠く隔てられた土地はこれとは別の歴史を歩みます。

　まずユーラシア大陸の西、大西洋（アトランティック）に隔てられたアメリカ大陸では、農耕が始まった時期が約1万年前、本格化した時期が紀元前4000年ごろ──と農耕のタイミングがユーラシア大陸の動きと一致するのは、やはり気候変動の影響からと推察されます。

　この当時、大西洋（アトランティック）を乗り越えてユーラシア大陸の農耕がアメリカに伝わったとは考えにくいですし、ユーラシア大陸の「麦栽培」ではなく、**トウモロコシ**[*13]を主力とした農耕であり、農業といっても異質であったためです。

（*12）もちろん、麦栽培として伝わってきたものの、中国は麦の栽培に向かなかったため、地元にもっとも都合のよい穀物の栽培に改良されて定着しただけなのかもしれません。

（*13）ただし、厳密にはトウモロコシの原種に当たる「テオシント」。
　　　　だいたい5〜10粒の果実しか実を結ばないテオシントを、インディアンが数千年かけて"品種改良"したものが現在のトウモロコシ。

》　海を隔てた"東の果て"日本の場合

　振り返って、ユーラシア大陸の東、日本海に隔てられた日本は世界的に見ても特異な歴史を歩みます。

　日本でも1万2000年～1万年前に温暖期と寒冷期を繰り返す時代を経験し、森も生態系も激変していきます。

　狩猟民の主要タンパク源であった大型獣（マンモス・ナウマン象・ヘラジカなど）が絶滅してしまい、小型獣（鹿・猪・兎など）だけでは狩猟生活が成り立たず、さらに森は針葉樹林からブナ・クリなどの広葉樹林へと変貌したため、**クリの採集**でこれを補完するようになります。

　しかしそれでも充分ではありません。

　しかし、幸い日本はオリエントのように「大河か砂漠」というような過酷な自然環境ではなく、山・森・海・泉といった豊かな自然に恵まれていたため、春は山菜やキノコを採り（採集）、夏は魚を獲り（漁撈）、秋は豊かな木の実（おもにクリ）を採集し、冬は森で狩を行って肉と毛皮を得（狩猟）、季節に応じた旬の食糧を求めることで補完しようとします。

　その主食は当時全国に繁茂していたクリでした。

　クリは少量で人間にとって必要な栄養素をほとんど摂ることができ、しかも備蓄が利く重要なタンパク源です。

　しかし、自然繁茂するクリの森から採集するだけでは足りなくなると、これを植林して森の密度を高め、老木から苗木に植え替えることで安定的にクリを得る体制を構築します。

　これにより安定した食糧を得た縄文人は移動生活する必要がなくなり、移動生活から定住に移行し、集落を形成するようになりました。

　「**縄文**」という時代の名前の由来ともなっている土器も造ら

れるようになり、近年本格発掘されるようになった縄文遺跡[*14]からは、300人もの大人数を収容できるような大規模な建築物、高さ15mもの物見櫓（?）が発見され、さらには集落の中央には幅15mもの大通りが走っていました。

　これほど高度な技術と大規模な土木工事によって整備された集落の存在は、一定数の人口によって支えられていたことの証明であることはもちろん、その高度な建築技術はすでに職業の分化すら起こっていた可能性を示しています。

　そのうえ、その土地では採れない翡翠（ヒスイ）などの高価な装飾品や黒曜石でできたナイフが多数発掘されていることから、遠隔地貿易も行われるなど、かなり豊かで文明的な暮らしぶりが窺い知れるようになってきました。

　植物の栽培・定住・大規模な集住・土器・余剰物資の交易、これらの特徴は「農耕社会」のそれを示しており、このころのクリ栽培は「農業」とは位置づけられていませんが、農業というものはその土地土地の環境に応じて栽培品目が定まるものであって、それがオリエントの場合は"麦"、アメリカは"トウモロコシ"、そして日本は"クリ"だっただけであり、その意味ではオリエントの農業に相当するものです。

　このように、日本は四季折々の豊かな自然に恵まれ、そこから充分な糧を得ることができたため、日本人は典型的農業（穀物栽培）に移行することなく、大陸文化とはまったく異なる歴史を歩むことになったのでした。

（＊14）三内丸山遺跡。この遺跡の存在自体は古くから知られていたものの、本格的に発掘されるようになったのは近年になってから。

「空白の10万年」

よく「人類(ホモ・サピエンス)が誕生してから農耕に移行するまで10万年以上もの間、人類文明がまったく進歩しなかったのはおかしい！」と、これを「空白の10万年」として「じつはその10万年の間に超古代文明が何度も興亡したのだ！」などと突拍子もない史観を騒ぎ立てる者がいます。

しかしながら、本文でも触れましたように10万年どころか100万年進歩しなくたってまったくおかしくありません。

そういう"妄想"の類(たぐい)を本気で主張する一本ネジのはずれた人たちは「歴史はつねに進歩・発展しつづけるはずだ」という何の根拠もない固定観念に縛られていて、歴史というものは"契機(きっかけ)"がなければどれだけ湯水のように時間を注いでも動かないということを知りません。

逆に、"契機(きっかけ)"さえ与えれば、どんなに旧きを護ろうとしても動き出します。

今回は「急激な寒冷化と温暖化を短期間のうちに繰り返す」という異常な気候が"契機(きっかけ)"になったにすぎません。

歴史というものは総体的・構造的・立体的に捉えず、一部だけしか見ていないと、とんでもない暴論に目を覆わされることがあります。

無知ゆえに本人は大マジメですが、歴史を知る者からすればいちいち反論するのも馬鹿馬鹿しい"とんでも史観"です。

こうした"とんでも史観"は無数にあり、こうしたものにいちいち騙されるのは、歴史を総体的に知らないからです。

第2幕（紀元前4千年紀）

第 **2** 章

都市国家の誕生

＜先史 金石併用時代＞

早くも文字・土器・金属器を発明し、メソポタミア南部に高度文明を築いていたシュメール人と民族移動を起こしたセム系が接触する

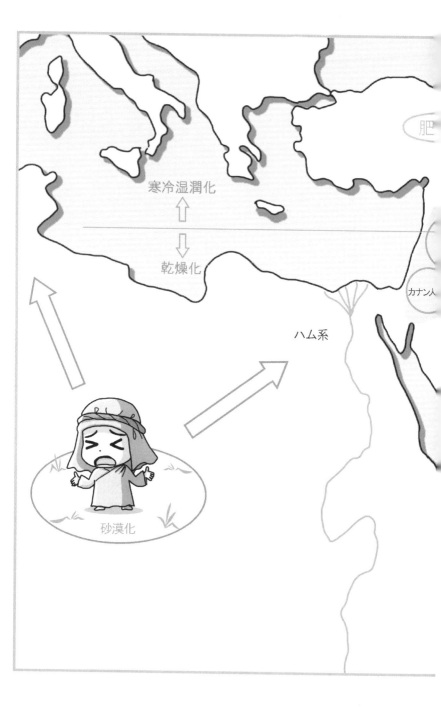

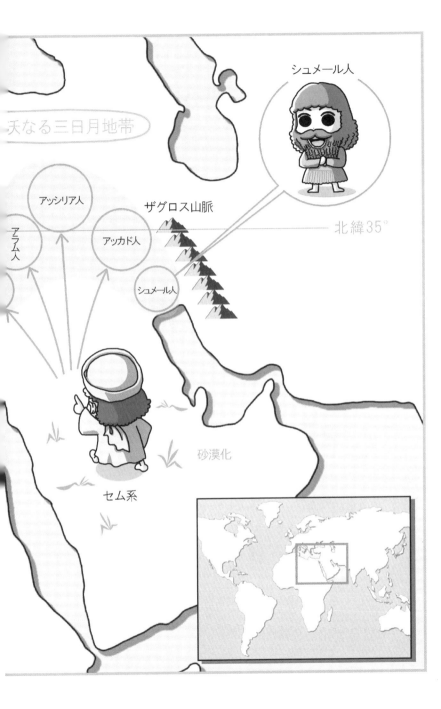

シュメール人

天なる三日月地帯

アッシリア人

ザグロス山脈

北緯35°

ア
ラ
ム
人

アッカド人

シュメール人

砂漠化

セム系

金石併用時代の歴史大観

（紀元前４千年紀）

　紀元前4200年ごろに襲いかかった乾燥化[*01]によって、北アフリカやアラビア半島に砂漠が拡がり、これらの地で生きる糧を失った民族が、新天地を求めて民族移動を起こす。

　こうして、大河ナイルの畔（ほとり）や比較的湿潤な「肥沃なる三日月地帯（ファータイル　クレセント）」に民族が入植してきたが、すでにそこには先住民がいた。

　それこそが自称「ウンサンギガ」、後世「シュメール人」として知られることになる民族で、彼らは灌漑農耕（かんがい）、土器、文字を持っていたどころか、すでに金石併用時代に入っていた高度文明を築いていた。

金石併用時代の歴史展開

（紀元前４千年紀）

　最終氷期（ヴュルム）が明けてもしばらく気候は不安定で、温暖期と寒冷期を繰り返しましたが、1万年前ごろから安定しはじめ、それに伴って人類の歴史も落ち着いていきました[*02]。

（＊01）この乾燥寒冷期を「イベント4（4200〜3200B.C.）」といいます。

（＊02）「歴史法則01」（p31）参照。

　ところが、紀元前4200年ごろから寒冷期と乾燥期が襲いかかったことで、ふたたび歴史が動きはじめます[*03]。

》　北緯35度以南──乾燥化

　今回の寒冷期は地球規模ではなく、農耕発祥の地「**レヴァント回廊**（イベント4）」を中心として西アジアからアフリカ一帯に襲いかかります。

　しかも、ただ寒くなったのではなく、北緯35度[*04]を境としてその以北では寒冷ではあるけれども湿潤化が、以南では乾燥化が起こりました。

　その結果、緑豊かで湿潤だった北アフリカから中東にかけて砂漠化が進み、現在では北アフリカに広大なサハラ砂漠、アラビア半島にはアラビア砂漠が拡がることになります。

　北アフリカでは、年々砂漠化が進行する地を棄て、人々は水を求めて四方に移住していくことになりましたが、自然と圧倒的水量を誇るナイル川流域に人々が集まることになり、それが次時代（古代 第1段階）のエジプト発展の一要因となっていきました。

》　北緯35度以北──寒冷湿潤化

　つぎに、アラビア半島に住んでいた民族・セム系も北アフリカの民同様、乾燥化に伴って故地を棄て民族移動を始めます。

（*03）「歴史法則02」（p33）参照。
（*04）中東ではちょうどシリア・イラクのあたりです。

彼らは西方のナイルデルタ、または北方の湿潤な「肥沃なる三日月地帯」へと大移動を始めます。

これが所謂「（第1次）セム系民族の大移動」と呼ばれるものです。

》 シュメール文明の萌芽

ところで、彼らセム系がこの地に足を踏み入れる以前に、すでにメソポタミア南部には先住民が住んでいました。

彼らは自らを「黒頭（黒髪?）」と自称し、このあたりとはまったく違う言語形態の膠着語[*05]を話し、『創世記』では「東（ザグロス山脈方面）からやってきた人々」と呼ばれていることからモンゴル系ではないかと推測されていますが詳しい民族系統は判然としていません。

ただ、当時ここに入植してきたセム系から「シュメール人[*06]」と呼ばれていたことが伝わっているのみです。

彼らは農耕に従事するようになるや、このころから灌漑を始めたばかりか、犂耕を導入することで飛躍的に生産性を高めることに成功。

すると、さらに多くの人が集まって住むようになり、村から

(＊05) 言語体系は大きく３つに分かれ、アジア大陸北部に「膠着語」、ヨーロッパから南アジアにかけて「屈折語」、東アジアに「孤立語」が分布しています。

この３つの言語体系は、それぞれ格変化を表す方法に大きな違いがあります。

・膠着語：単語（私）に助詞（は / に / を）などを付けて表す。日本語など。
・屈折語：単語そのものを変化（I / my / me）させて表す。英語など。
・孤立語：単語（我）に助詞も付けず変化もさせず語順で表す。中国語など。

(＊06) セム系アッカド人が呼んだ呼称。

邑^{むら}（＊07）へ、そして紀元前4千年紀（＊08）後半ごろから小規模ながら都市が生まれてきます。

さらに、多くの人が集住するようになれば、さまざまな問題が発生しますので、それらを解決するためにさまざまなものが発明・導入されるようになります。

穀物の保管・輸送のために**彩文土器**が作られ、穀物の管理・売買の記録のために**絵文字**（＊09）の使用が始まり、文明の萌芽が始まりました。

急速に文明度を高めていく中、「**銅**」「**錫**^{スズ}」など金属の**精製**にも成功します。

ただ、銅も錫^{スズ}も金属としては軟らかすぎて実用性に乏しかったため、ただちにこれらの金属器が石器に取って代わったわけではなく、依然として石器も使用しつづけたため、この時代は所謂^{いわゆる}「**金石併用時代**」と呼ばれるようになりました。

（＊07）周囲を城壁や濠で囲んだ集落のこと。村と都市の中間的存在。

（＊08）紀元前4000～3001年までの1000年間。

（＊09）ウルク古拙文字。これが簡略化されて、紀元前3000年ごろに「楔形文字」へと発展することになります。

シュメール人は日本人？

　古代民族の民族系統を調べるのに、考古学者が拠り所とするのが「言語」です。

　言語の系統を調べていけば、その民族がどの系統に属する民族なのかが凡そわかるためですが、本文で触れたように、人類最古の文明を築きあげたシュメール人は、西アジア一帯の民族とはまったく違う言語形態［膠着語］を使用していました。その中でも同系統の言語が見つからないため、「孤立言語」などと呼ばれていますが、じつは我が日本語もシュメール語と同じ、膠着語系の孤立言語です。

　言語系が同じと言うだけでなく、シュメール人と日本人は、神話（天孫降臨）や三種の神器（鏡・勾玉・剣）、さらには帝号（スメル）・国名（葦の国）・王室紋（菊花紋）など、多くの共通点を見出すことができるため、そこから「シュメール人はオリエント地方から姿を消したあと、東へ移住して日本人となった」という考えがまことしやかに語られることがあります。

　しかしながら、シュメール文明が崩壊したころ（前2千年紀）、日本はすでに縄文時代の晩期ですので、この説は少々不自然です。

　それよりは、「もともと北アジアに発祥した民族が東へ移住して日本人となり、西へ移住してシュメール人となった」、つまり"祖先"ではなく"同祖"と考えた方がまだ自然のような気がします。

　もっとも「すべてこじつけ」という可能性が一番高いですが。

第1幕（紀元前3千年紀）

第**3**章

文明のあけぼの

＜古代 第1段階＞

ついに青銅器段階に入り、各地に文字が生まれ、
文明が生まれ、都市国家が生まれ、
そして、領域国家へと向かう時代

サルゴンⅠ

ビーカー文化

エーゲ文明

アッカド帝国

海

シリア　アッカド人

シュメール人

パレスチナ

砂漠

古王国

ジャングル

青銅器

文字

都市国家

統一王朝

エジプト全土を統一したのみならず、一時はシリアまで征服したぞ！

ガハハハ…
私が最初にメソポタミアを
統一したのだ！

まだ、
ブロンズも文字もない…
石器時代だぞ

インダス文明も
高度文明だぞ！

インダス文明

仰韶
文化

龍山
文化

古代 第１段階の歴史大観

(紀元前３千年紀)

　この時代は、紀元前3200年ごろから気候がふたたび温暖化に向かったことでオリエントに文明の灯が灯り、農業生産の向上を背景として邑から都市へ、都市から都市国家へ、都市国家から領域国家へと発展していき、ついには史上初めて複数の領域国家を統合した「地区統一」王朝が生まれ、その繁栄を謳歌する時代となった。

　それがメソポタミアでは「アッカド帝国」、エジプトでは「古王国」となってこの時代を代表する大帝国となる。

　こうした文明の灯は周辺地域に伝播し、エーゲ海域ではエーゲ文明、北インドではインダス文明を刺激したが、しかしさらに遠方のヨーロッパのビーカー文化・中国の仰韶文化・龍山文化にはほとんど影響が及ばず、いまだ先史時代であった。

古代 第１段階の歴史展開

(紀元前３千年紀)

　前段階(前４千年紀)、南メソポタミアのシュメールに文明の灯が灯り始めたことで、ようやく人類は「金石併用時代」に入っていたとはいえ、このとき人類が手に入れた金属(銅・錫)は実

用性に乏しく、300万年^(*01)という途方もない長い期間にわたって使用してきた「石器」を人類はいまだに手放せずにいました。

しかし、この段階（前3千年紀）からついに「石器段階」を脱し、ここから歴史は急速に動きはじめます。

》 都市国家の成立

<ruby>寒冷期<rt>イベント4</rt></ruby>が明ける（c.3200B.C.）や、ほどなくしてシュメール人とエジプト人が時を同じうして青銅器（ブロンズ）段階に入ります。

前時代（前4千年紀）、すでに「銅」と「錫（スズ）」は発見されていたものの、どちらも材料としては軟らかすぎて実用性に乏しく、石器に取って代わる存在とはなり得ていませんでしたが、人が集住することで智慧も集まり、この2つを混ぜることで硬度は充分なのに圧延にすぐれ、研磨も容易となることが発見されたのです。

これが青銅器（ブロンズ）^(*02)です。

この発明により、ついに300万年お世話になった「石器」はお払い箱となり、「金石併用時代」を挟んでようやく「金属器時代」の幕開けとなりましたが、これは人間社会に激変をもたらすことになります。

(＊01) 現在確認されている最古の石器は260万年前のものですが、つい最近（2015年）、330万年前と思しき石器が発見され現在検証中です。まだ発見されていないだけで、実際に人類が石器を使い始めたのはもっともっと古い時代でしょう。

(＊02) 錫の含有量が低いほど軟らかく、多いほど「硬いが脆く」なりますが、青銅精錬の際、その含有量は産地によって一定だったため、これを調べれば青銅の産地がわかってしまうほどでした。

なんとなれば。

まず第一に、青銅(ブロンズ)で農具を作れば石器よりも小さな力で深く耕すことができるようになるため、**灌漑農耕**が本格化して農業生産力が爆発的に高まります。

そうなれば、より農業効率を高めるため 暦(カレンダー) が作られるようになり、それぞれの地勢に合わせてメソポタミアでは「**太陰暦**(＊03)」が、エジプトでは「**太陽暦**(＊04)」がそれぞれ発達し、これに基づいて計画的・集団的に農業が行われるようになると、生産性が一層高まり、莫大な富を蓄積することが可能となってきます。

しかしいいことばかりでもありません。

豊かな富が生まれれば、それは周辺民族の羨望(せんぼう)の的となり、つねに襲撃・掠奪(りゃくだつ)に怯えなければならなくなります。

ならば、今手に入れたばかりの青銅(ブロンズ)で武装すれば、石器で武装した周辺の敵など怖るるに足らず。

さらに青銅(ブロンズ)で工具を作れば、集落の周りにこれまでにない大規模な城壁や濠を繞(めぐ)らせることも容易となり、防備はさらに盤石となります。

城壁や濠が繞(めぐ)らされるようになれば、これはもう立派な「都市国家」であり、こうして青銅器(ブロンズ)の導入が「集落」から「都市国家」への脱皮を可能にしたのでした。

（＊03）月の満ち欠けの周期を規準として作られた暦。したがって、毎月1日はかならず新月で、以降、3日は三日月、7日は半月（上弦）、15日は満月と、月を見れば何日かがわかるしくみ。

（＊04）このときに使われた古代エジプトの太陽暦が、ローマに伝わってカエサルによるユリウス暦、そしてそれが近世ヨーロッパで改良されたものが、我々が現在使用しているグレゴリオ暦です。

» 「先史」から「有史」へ

　そうなれば、いまだ石器段階にあった周辺民族は手が出せなくなり、これを指を銜（くわ）えて見ていることしかできません。

　ならば、こちらも青銅（ブロンズ）で武装せねば！

　こうして、ひとたび青銅器（ブロンズ）が実用化されるや、たちまちオリエント全体に拡がっていき、各地に都市国家が建設されていくことになります。

　すると各地に特産物が生まれ、都市国家はその余剰物資を輸出し、不足物資を輸入する交易が盛んとなりましたが、そうなると今度は、急速に複雑化していく経済に社会が対応できなくなってきます。

　農産物・税・貿易品目の管理を円滑に運営していくためには、従来からの“記憶”に頼るのは限界があり、これを“記録”しておく必要性が生まれます。

　こうして「文字」が普及していきます。

　すでにシュメールでは前時代に絵文字（ウルク古拙文字）が発明されていましたが、これを簡略化して楔形文字（せっけい）（＊05）が、エジプトでは神聖文字（ヒエログリフ）が発明されます。

　こうして人類は歴史を記録することが可能となったため、これ以前を「先史」、これ以降を「有史」と呼んで区別するようになりました。

（＊05）当時、文字は粘土板にヘラを押し付けて書きましたが、その形が「楔（くさび）」の形をしていたため、そう名付けられました。

» 民主政から王政へ転化したシュメール

初めて農耕が生まれたのもオリエントなら、初めて金属器を使い始めたのもオリエント、そして人類文明の"光"が輝きはじめたのもオリエントからでした。

特にメソポタミア南部は**ティグリス・ユーフラテス両河**から運ばれてくる沃土に恵まれ、その先陣を切るのにふさわしい土地柄。

とはいえ、利点と欠点は表裏一体。

この両河は、平時シュメールの人々に沃土をもたらし、富と繁栄をもたらしますが、ひとたび機嫌を損ねればたちまち大きな氾濫となって田畑も家屋敷も人命もすべてを奪う"双子の暴れ龍"となって暴れ狂います。

シュメール人の都市国家は初め「**民会**」によって運営された民主的なものでしたが、たびたび起こる大洪水(*06)から復興するためには"強力な指導者"がいた方が運営上都合が良かったこともあって、やがて王制へと移行していきました。

伝説に拠れば、洪水後に最初に王制となったのが**キシュ**で、その後、**ウルク・ウル・ラガシュ**などぞくぞくと都市国家が建設され、"**肥沃なる三日月地帯**"に移住してきていたセム系民族たちにも都市国家建設が拡がっていきます。

» メソポタミア初の統一王朝 アッカド帝国

こうして生まれた都市国家は、初め**シュメール地方・アッカ**

(*06) このころの洪水伝説が後世に語り継がれ、のちに『旧約聖書』に取り込まれて「ノアの洪水伝説」となりました。

ド地方・アッシリア地方^(＊07)それぞれの地方の中で争覇が行われ^(＊08)ていましたが、やがて前2500年以降になると、それぞれの地方を乗り越えて覇権争いが起こるようになります。

こうして前2334年、ついに覇権闘争を勝ち抜き、全メソポタミア地方を統一したばかりか、シリア・イラン高原にまで遠征する大統一（地区統一）王朝が生まれました。

これがアッカド帝国^(＊09)です。

しかし、メソポタミアは所謂“開放地形”と呼ばれ、四方から異民族が侵掠しやすい地形であったため、この地方に生まれた国はめまぐるしく王朝交代を繰り返す歴史を歩むことになります。

》 エジプト初の統一王朝 古王国

ところで、オリエント世界にはメソポタミア文明の他にもうひとつ“光”が輝いていました。

それが「エジプト文明」です。

エジプトもまたシュメールと同じころ、シュメールと同じように青銅器・文字・暦を土台として文明度を高めていました。

ただ、土地柄の違いにより、シュメール文明とは細かな違いもあります。

まず、ここはメソポタミアの“開放地形”と違って“封鎖地形”

（＊07）それぞれメソポタミア南部、中部、北部のこと。
　　　　もう少しのちの時代になると、シュメール地方とアッカド地方が統合されて
　　　　「バビロニア地方」と呼ばれるようになります。

（＊08）日本史で言えば、「室町幕府末期、小さな戦国大名が相争い、統一に向かって
　　　　いったころ」を思い起こせばわかりやすいかもしれません。

（＊09）帝国の創始者の名から、別名「サルゴン帝国」とも。

と呼ばれ、西に砂漠・南に森林・東に紅海・北に地中海という自然要害に護られていたため、異民族の侵寇は難しく、長期政権が栄えます。

それゆえ、エジプトにはメソポタミアのような「濠や城壁に囲まれた典型的な都市国家」はあまり発達せず[*10]、エジプト特有の都市国家「ノモス[*11]」が生まれます。

これが初めは東部・西部・南部に分かれて争覇し、やがて地方を越えて大統一（地区統一）に向かったのはメソポタミアと同じです。

こうしてエジプトで生まれた初の統一王朝が「エジプト古王国[*12]」と呼ばれ、その第四王朝のころにはシリア・パレスティナに遠征するまでになります。

ちょうどアッカド帝国がメソポタミアで覇を唱えていたのと同じころです。

》　オリエント文明の周辺地域

こうした文明の"光"はほどなく周辺地域を照らしだします。

それこそが、オリエントから見て東隣のインドに生まれたインダス文明と、西隣の東地中海域に生まれたエーゲ文明です。

(*10) エジプトでは、濠や城壁はあまり発達しませんでしたが、もちろん「ひとつもなかった」ということはなく、必要と思われる地点には城壁に囲まれたノモスもいくつか存在します。

(*11) 「ノモス」というのは古代ギリシア語表記で、エジプト語では「セパト」といい、古代中国の「邑」に相当する行政単位。

(*12) 古代エジプト王国は、第1王朝から第32王朝（プトレマイオス王朝）まで数えられますが、特に第3から第6までを「古王国」といいます。

どちらもオリエントよりも少し遅れて[*13]青銅器（ブロンズ）が使用されるようになり、オリエントよりも小規模ながら都市国家が各地に建設され、文字[*14]も生まれ、一定の統一性のある文明が華（はな）やぎます。

しかし、まだ"統一王朝"が現れるほどには社会・経済ともにオリエントほど成熟することはなく、次時代（古代 第2段階）に譲ることになりました。

》　"僻地"にあったヨーロッパと中国

しかし、オリエントを中心としてそのさらに外側にある"外殻地域"にまでは、まだその"光"は届きませんでした。

エーゲ文明からさらに西のヨーロッパ世界は、当時ビーカー文化[*15]が展開していましたが、エーゲ文明に近い地域には青銅器（ブロンズ）が伝わった[*16]ものの、西欧・北欧地域は依然として石器段階で、都市国家も文字も生まれませんでした。

振り返って、オリエントより遠く離れて砂漠・荒野・山脈に隔てられた"東の果て"の中国・黄河流域は仰韶文化（ヤンシャオ）から龍山文化（ロンシャン）にかけての土器時代で、ここには文字も都市国家[*17]も生ま

（＊13）どちらも紀元前2500年ごろ以降で、これはちょうどエジプトに「古王国」、メソポタミアに「アッカド帝国」が栄えていたころ。

（＊14）インダス文明の方が「インダス文字」、エーゲ文明が「クレタ文字」。どちらもいまだ解読されていません。

（＊15）このころヨーロッパに現れた文化を総称したもので、単一の文化圏というわけではありません。当時作られていた土器の形からこの名が与えられました。

（＊16）やはり紀元前2500年ごろ以降。

（＊17）集落に原始的な土塁を廻らせた「邑」と呼ばれるものが現れたのみです。

れなかったどころか、青銅器(ブロンズ)すらも伝わらず、土器[*18]が生まれた程度でいまだ石器段階でした。

》　世界の中心は「オリエント」

　こうして世界を俯瞰してみると、この時代はオリエントこそが“世界の中心”であって、そこから遠ざかれば遠ざかるほど文明度が落ちていくことがわかります。

　口を開けば「五千年の歴史！」と自讃する中国ですが、今から5000年前といえばこの時代であり、冷静に歴史を紐解けば、このころの中国にはまだ国家が存在しないどころか、青銅器(ブロンズ)もなく、文字すら持たない「石器と土器の先史時代」だったことがわかります。

　その国の始まりを「石器と土器の先史時代」まで遡ってよいなら、日本は縄文時代まで遡れますから、「１万5000年の歴史！」と称してよいことになります。

―――――――――――――――――――――――――――――――――
（＊18）仰韶文化に「彩陶」、龍山文化に「黒陶」が生まれています。

第2幕（前2000〜前1200年ごろ）

鉄器と温暖化

＜古代 第2段階＞

青銅器段階から鉄器段階に入り、
これが新時代を牽引していく

第 **4** 章

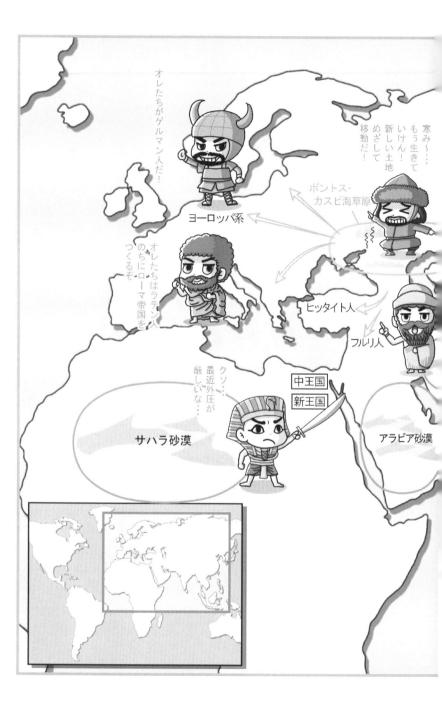

寒冷期

亀甲で占いしよう！
占い結果を記録して
おくのだ!!

カザフ草原

モンゴル草原

ゴビ砂漠

タクラマカン砂漠

イラン人

カヴィール砂漠

インド人

ここはいいとこ
じゃないか！
ここに住むとしよう！

殷

三星堆文化

古代 第2段階の歴史大観

（前2000～前1200年ごろ）

　温暖期に支えられた前時代（古代 第1段階）は、急激に襲いかかった寒冷化[*01]のために崩壊する。

　それは、前時代にあれほど栄華を誇った**アッカド帝国**も**エジプト古王国**をもあっけなく解体させ、さらに「アーリア系民族の大移動」を誘発し、オリエントに「鉄器」をもたらし、これらが新たな時代を牽引していく時代となる。

・オリエント中央：鉄器段階に入って新旧対決（アーリア系 vs ハム・セム系）が激化する。

・オリエント周辺地域：鉄器段階に入らぬまま印欧系（アーリア）の侵寇で世代交代が進む。

・オリエント外殻地域：ようやく青銅器（ブロンズ）段階に入るも、いまだ普及に至らず、旧態依然とした体制が続く。

古代 第2段階の歴史展開

（前2000～前1200年ごろ）

　前時代を象徴する**アッカド帝国**と**エジプト古王国**は1000年近

（＊01）紀元前2200～1900年ごろ。これを「イベント3」といいます。

く（前3200〜2200年ごろ）続いた温暖期に支えられていました。

　温暖期によって支えられていた繁栄は、温暖期の終焉とともに崩壊していきます^(＊02)。

　その契機となったものが前2200年ごろに到来した「寒冷化^{イベント3}」でした。

　どんなに威容を誇る城（天守）も、その土台（天守台）が崩れ落ちれば跡形もなくなるように、寒冷期を前にすればどれほど繁栄を謳歌した文明・王朝もひとたまりもありません。

■ 歴史法則03 ■
"時代の特性"が移り変われば、時代と合わなくなった
覇者（国家・組織・階級など）は亡びる運命にある。

　農業によって支えられていた当時の帝国は、このとき到来した寒冷化^{イベント3}によって不作・凶作が続いて体力が衰えていたうえ、追い打ちをかけるようにして異民族の侵寇に苦しみます。

　周辺民族もまた寒冷化^{イベント3}に苦しんでいたためです。

》　アーリア系民族の大移動

―― 創造の前に破壊あり！――

　ヒンドゥー教では、創造神^{ブラフマー}が宇宙を創造する前に破壊神^{シヴァ}が既存のものをことごとく破壊し尽くします。

　新しい建物を建てるためには、それまで建っていた古い建物を壊さなければならないように、"新時代"が生まれるためには

（＊02）「歴史法則01」（p31）、「歴史法則02」（p33）参照。

まず“旧時代”を破壊しなければなりませんが、こうして旧世界（古代 第1段階）を代表とする帝国は滅び去り、新時代（古代 第2段階）建設の条件は整いました。

前時代では「寒冷化」が破壊神となり、「セム系民族」が“創造神”の役割を担いましたが、今回は「寒冷化」が破壊神となり、「アーリア系民族」が“創造神”の役割を担います。

今回の「寒冷化」は前回の「寒冷化」とは違って地球規模で起こったため、**サハラ砂漠〜アラビア砂漠**の砂漠化をさらに進行させたばかりか、砂漠地帯が**カヴィール砂漠**（イラン高原）、**タクラマカン砂漠**（中央アジア）、**ゴビ砂漠**（モンゴル高原）とユーラシア大陸を東西に帯状に広がっていったため、その砂漠帯の北にあった草原地帯（*03）の西部に住んでいた民族（*04）がこの環境変化に堪えきれずに民族移動を起こしたのです。

しかも、前回のセム系が「**肥沃なる三日月地帯**」だけの地域限定的な民族移動だったのに対して、今回はユーラシア大陸規模で展開し、西へと移住した者たちが現在のヨーロッパ人となり、東へ移住した者たちは現在のインド人となり、南へ移住した者たちがイラン人となっていきました。

そして、彼らが新時代「古代 第2段階」を切り拓いていくことになります。

（＊03）西から順に、「**ポントス・カスピ海草原**」「**カザフ草原**」「**モンゴル草原**」と東西に帯状に拡がる草原地帯。

（＊04）ポントス・カスピ海草原に住んでいた「**アーリア人**」で、語族で言えば「**インド・ヨーロッパ語族**」。

》　鉄器が新時代を創造する

　しかも、前回のセム系の民族移動との違いは規模だけではありません。

　前時代、一部が青銅（ブロンズ）段階に入るや、たちまち石器文化は駆逐されていく様を見てきましたが、今回は、彼ら（アーリア）の一部が「鉄器（アイアン）」をもたらしたことで歴史が大きくうねりはじめます。

》　バビロン第一王朝の成立

　前時代にメソポタミアで覇を唱えていた「**アッカド帝国**」、エジプトで覇を唱えていた「**古王国**」（イベント3）は、寒冷期の煽（あお）りで農作物の不作と四方から周辺民族の侵寇のダブルパンチを喰らって亡んでいきました。

　覇権国家のいなくなった混乱の中、メソポタミアに「**ウル第三王朝**（*05）」、エジプトに「**中王国**（*06）」という統一王朝も生まれましたが、いずれも短期王朝あるいは弱体王朝で、こうした混迷の時代に侵寇してきたのがアーリア人です。

　彼ら（アーリア）は、アナトリア半島に入植して**ヒッタイト王国**を、シリア地方に侵寇して**ミタンニ王国**を建設しましたが、これによりシリア地方の先住民だった**アムル人**たちが故地を追われて流民化していきます。

　彼ら（アムル）は四方に散らばっていきましたが、特に東方のバビロニ

（＊05）「ウル第三王朝（c.2111～c.2004年B.C.）」はシュメール人による最後の王朝。

（＊06）「中王国（c.2040～c.1782B.C.）」は第11～12王朝。歴史家によっては第13王朝まで含めることも。

ア地方^(＊07)に多く逃れ、その地にあった「ウル第三王朝」を亡ぼして自分たちの国を造ってしまいます。

それこそ、かの有名な「**バビロン第一王朝**^(＊08)」です。

しかし、前幕でも見てまいりましたように、"開放地形"のメソポタミアに秩序を恢復（かいふく）させるのは容易ならざる事。

そこで、第6代**ハンムラビ王**は法整備を徹底させることで秩序の恢復に尽力します。

それが「**ハンムラビ法典**」です。

「**目には目を、歯には歯を**」という法諺（ほうげん）で有名なもので、これを"**復讐法**"として説明しようとする者がいまだに後を絶ちませんが、実際には「他人の目を潰した罪は自らの目を潰すことでしか償う方法はない^(＊09)」という"**同害贖罪法**"とも呼ぶべきものであって、断じて「目を潰されたら復讐として目を潰し返せ！」と言っているのではありません。

バビロン第一王朝は、こうした法整備が功を奏してハンムラビ王の御世（みょ）には絶頂期に達しましたが、やはりメソポタミアに生まれた王朝の宿命、それも長くは続くことはありませんでした。

》 温暖期の到来

イベント3
寒冷化は前1900年ごろに収まったものの、温暖化と呼べるよ

（＊07）アッカド地方とシュメール地方の総称。

（＊08）別名「古バビロニア王国」「アムル朝バビロン王国」。

（＊09）目を潰された被害者は、加害者から謝罪されようが、お金をもらおうが、加害者が牢にぶち込まれようが二度と視力は恢復しません。それならば、その罪を償わせるには加害者の目を潰すより他ないという考え方です。
ただし、古代のこととて「法の平等」という観念はなく、被害者の身分が低い場合は「補償金」で済まされることはありました。

うになるのは前1600年以降になってからです。

したがって、そのころから温暖化を背景にして新しい強国が幅を利かせるようになり、新旧交替が起こります[*10]。

オリエントでバビロン第一王朝が亡んで**ヒッタイト**と**エジプト新王国**が覇を競うようになったのも、エーゲ海で**クレタ文明**が**ミケーネ文明**に取って代わられたのも、中国では**夏王朝**を**殷王朝**が放伐[*11]したのも、すべて前1600年ごろなのは、こうした気象条件を背景としているためです。

》 世界で初めて鉄器を実用化したヒッタイト

ヒッタイト人は前1900年ごろ、オリエントに入植してみたものの、彼らが入植したアナトリア半島は独立山塊で、開けた土地も少ないため牧業に向かず[*12]、そのうえ沃土も少なかったため農業にも向かず、見渡すかぎり山なのに禿山ばかりで林業にすら向かず、一部の臨海地以外は漁業にも向かず、たいへん貧しい土地でした。

しかし、人間というものは追い詰められたとき、これまでにないまったく新しい活路を拓くものです[*13]。

じつはここには鉄鉱山が多く散在しており、彼らはそこに目を付けて人類史上初の鉄器生産の実用化[*14]に成功します。

（＊10）このことに関しては、p116「温暖化で新旧交代が起こる理由」を参照のこと。

（＊11）中国において、諸侯などの有徳者が時の王朝を武力で倒すこと。

（＊12）もともとヒッタイト人は入植前まで牧業（遊牧）を営んでいました。

（＊13）「歴史法則02」（p33）参照。

（＊14）じつは人類は、これよりはるか以前より「鉄」の存在そのものは知っていました。しかしながらそれは「隕鉄（鉄で構成された隕石）」から作ったものであり、鉄鉱石から精錬する技術はありませんでした。

そのおかげで彼らは、新たに得た"新兵器"で武装し、東に侵寇してバビロン第一王朝を亡ぼし（c.1531B.C.）、南に侵寇してエジプトとシリアの覇権を争う強国となっていきます。

》 エジプト新王国による統一

ところで、アーリア人がオリエント世界に侵寇してきたことによる混乱は、アムル人以外にも多くの流民を生むことになりましたが、彼ら流民を総称して「ヒュクソス」といいます[*15]。

彼らの多くは、中王国時代の統一が破れて混迷期[*16]にあったエジプトに侵寇し、ナイルデルタにヒュクソス王朝[*17]を打ち建てます。

エジプトに文明が興って以来、異民族によって本土が制圧されたのは初めてのことで、上エジプト（ナイル川上流域）に追いやられたエジプト人王朝は「捲土重来」「臥薪嘗胆」、100年の時を経てついにヒュクソス王朝を駆逐して再統一を達成することに成功します（c.1570B.C.）。

これが「エジプト新王国[*18]」で、"膿"を搾り出すことに成功したことでふたたび隆盛を誇るようになった新エジプトは、以降、シリアに遠征するまでとなり、同じころ南下してきたヒッタイトと熾烈な戦を繰り広げることになります。

（*15）実際のところ「ヒュクソス」については諸説紛々よくわかっていません。

（*16）中王国時代と新王国時代に挟まれた統一王朝のなかった時代のことを「第2中間期」といいます。

（*17）古代エジプト全32王朝のうち、「第15王朝」に当たります。

（*18）再統一を達成したのは正確には「第17王朝」なのですが、後世の歴史家は統一後の「第17王朝」を「第18王朝」と区別して呼ぶようになりました。

≫ ミノス王の繁栄

それではつぎにオリエントの西、エーゲ海に目を向けてみましょう。

エーゲ海にも「寒冷化」^{イベント3}の影響は及び、これを境としてエーゲ文明の特質が変化します。

特にオリエントとの交易で栄えたクレタ島では前2000年ごろから盛んに宮殿が造られるようになり、それは「強力な君主」の存在を示しています。

そのうちのひとつ、島の中央にクノッソス宮殿を築いた王こそ「ミノス王」で、彼はオリエントとの交易で栄え、全島を統一しました^(*19)。

しかし、光が影を生み出すように、いつの世も「繁栄は滅亡への一里塚」。

クノッソス王国が“我が世の春”を謳歌していたちょうどそのころバルカン半島ではすでにその“滅亡原因”が生まれていたのでした。

≫ アカイア人が築いたミケーネ文明

じつは、バルカン半島ではアーリア系アカイア人の侵寇が始まっており^(*20)、エーゲ文明の一角ヘラディック文明を亡ぼしていたのです。

彼ら^{アカイア}はその故地に根付いただけでなく、隣接するクレタ文明

(*19) 首都の名から「クノッソス王国」、王の名から「ミノス王国」と呼ばれます。

(*20) 紀元前2000年ごろにイオニア人、1800年ごろにアイオリス人がバルカン半島に侵寇しましたが、彼らを総称して「アカイア人」と呼びます。

に触発されて「ミケーネ文明」を築きます。

　ヘラディック文明とクレタ文明は"掎角の勢(＊21)"を成していましたから、これが亡びたことはクレタ文明にとって"城壁"が突破されたことを意味しました。

　やがて到来した温暖化（c.1600B.C.〜）を背景として、力を蓄えたミケーネ文明が南下してくると、クレタ文明はあっけなく滅亡（c.1400B.C.）することになりましたが、それも必然だったと言えましょう。

≫　アーリア人が築いたヴェーダ文明

　つぎに、オリエントの東・北インドに目を向けてみますと、前時代に繁栄を謳歌したインダス文明もまた、「寒冷期」の到来とともにアッカド帝国や古王国と運命を共にするように衰亡していきました。

　その"跡地"に侵入してきたのがアーリア人です。

　ひと昔前までは「このとき侵寇してきたアーリア人たちがインダス文明を亡ぼした」と考えられてきましたが、現在では否定されています。

　通常、未開な民族が高度文明と接触すればかならず文明の影響を受けるものですが、インドに入植してきたアーリア人たちはインダス文明の影響をまったく受けていない独自な文明「ヴェーダ文明」を築きあげたからです。

　インダス文明をひとことで言えば「農耕と都市の文明」と表現

（＊21）2つの軍隊または国がお互いに連携をとって敵に当たる陣形または配置。
　　　　三国志において陳宮が呂布に献策した「掎角の計」が有名。

することができますが、ヴェーダ文明は「牧畜と宗教の文明」であり、インダス文明の特質をまったく引き継いでいません。

　これはふつうに考えて、アーリア人たちが「インダス文明をまったく知らなかった」と考えた方が自然で、おそらく彼らがインドに侵入したときにはインダス文明はすでに影も形もなかったのでしょう。

　それまで雨などほとんど降らない、したがって森林もほとんどない草原地帯（ステップ）に住んでいた彼らが、インドに入植するや、そこは鬱蒼（うっそう）とした森林と大河が流れる大地。

　河は恵みも与えてくれるが時に氾濫を起こして人々の命を奪う。

　天は気分次第で干魃（かんばつ）と豪雨を繰り返し、大気は熱波と寒波を襲いかからせる。

　こうした環境の激変・自然の脅威を前にして彼らは震えあがり、そこに"神"を投影して宗教に生きる民族となっていきます。

　こうして生まれた宗教が「バラモン教[*22]」です。

　》　ヨーロッパに青銅器が伝わる

　このように、オリエント周辺地域ではアーリア系による新たな文明が築かれていきましたが、ではさらに遠方の外殻地域はどのような歴史が展開したのでしょうか。

　まず西方の外殻地域・ヨーロッパを見てみますと、いまだ石器段階だったビーカー文化にようやく青銅器が伝わっています。

（＊22）それは各時代の要請を受けてバラモン教から分派した宗教（仏教・ジャイナ教・シク教など）をふたたび取り込みつつ受け継がれ、現在では「ヒンドゥー教」となって生き残っています。

青銅器段階が拓けるとともにビーカー文化は急速に衰えていき、やがて**ウーニェチツェ文化**（c.1800〜1600B.C.）に代わり、やがて到来した温暖化を背景として青銅器段階にも変化が生まれて**墳墓文化**（チュミュラス）（c.1600〜1200B.C.）へと移行していくことになりましたが、いまだ文字を持たぬ時代のこととて[*23]、詳しいことはほとんどわかっていません。

》　中華思想の始まり

つぎに目を東に転じて中国を見てみますと、中国もまたヨーロッパと同じくこのころようやく青銅器段階に入ります。

華中では、長江上流（四川省）にあった**三星堆文化**（サンシンドゥイ）が青銅器段階に入り、また華北では黄河中流域の「中原（ジョンユァン）（河南省）」でようやく都市国家が生まれて**夏王朝**[*24]時代に突入します。

ところで、当時の中原（ジョンユァン）周辺にはその東西南北にそれぞれの生業（ぎょう）を営む民族が住んでいました。

・東（現在の山東省あたり）に漁撈民（ぎょろう）
・西（現在の甘粛省あたり）に遊牧民
・南（現在の長江流域一帯）に農耕民（おもに稲作）
・北（現在の河北省あたり）に狩猟民

当時の中原（ジョンユァン）は、まだ稗（ひえ）・粟（あわ）を栽培している程度でさして豊かな土地柄でもありませんでしたが、ちょうどその中心に位置し、

（*23）「すでにこのころ文字（古ヨーロッパ文字）は存在していた！」と主張する学者はいますが定説とはなっておらず、仮にそれが「文字」であったとしても解読されておらず、現代のヨーロッパ文字との連続性もありません。

（*24）ひと昔前まで「伝説王朝」として扱われていた夏王朝（c.2070〜c.1600B.C.）ですが、最近はその実在が確実視されつつあります。

水利が発達して交通の便もよい"開放地形^{（＊25）}"であったため自然と周りから人が集まり、それぞれの特産物を持ち寄って物々交換する"商業拠点"として発達していきます。

しかし、こうしてさまざまな民族が入ってくるようになると、夏王朝は自らを「**華夏族**^{（＊26）}」と称し、周辺民族を**東夷・西戎・南蛮・北狄**と呼んで区別するようになります。

これが現在に至るまで脈々とつづく「**中華思想**」の発祥となりますが、今では混血して同じ"漢民族"と称している人々も、このころは中原に住む華夏族以外はすべて"夷狄蛮戎"扱いだったことがわかります。

》　夏王朝から殷王朝へ

そうした歴史背景を受けて、前1600年ごろに到来した温暖化が中国の歴史を大きく動かすことになります。

気候が温暖になれば、華夏族が「夷狄蛮戎」と呼んでいた人々の生産性も上がって余裕が生まれるため、自然と中原の貿易量も高まっていきましたが、そうなると、これを専門として扱う職業、すなわち「**商業**」が抬頭してきます。

この商業を生業とした新興勢力が力を付け、やがて夏王朝は彼らに取って代わられることになります。

これが「**商王朝**^{（＊27）}」です。

（＊25）古代メソポタミアがそうであったように、開放地形は商業拠点になりやすい。

（＊26）「漢民族」と自称するようになるのは、その名の通り「漢王朝」以降のこと。

（＊27）のちに商を亡ぼして周の時代になる（殷周革命）と、周は前王朝「商」のことを「殷」と呼ぶようになります。なぜ周が「商」と自称している前王朝を敢えて「殷」と呼ぶようになったのか、その理由はわかっていません。

そもそも彼らが「商」を名乗っていたため、「あきない」を生業（なりわい）とする人のことを「商人」と呼ぶようになったとも言われています。

商業が発達すれば、膨大な取引を記録するためにどうしても「文字」が必要になります。

夏王朝の時代に文字があったかどうかは現在のところわかっていませんが、商（殷）の時代に「**甲骨文字**」が作られたのは、そうした背景がありました[＊28]。

こうしてようやく中国も、先史が明けて「有史」になります。

しかしながら、青銅器が知られるようになったとは言ってもまだ高級品だったたため「神器」などの使用に限られて一般には普及せず、農具はいまだ"石器"でしたし、王朝が生まれたとは言ってもいまだ「都市国家連合」の域を脱せず、この時代にはついに「領域国家」に脱皮することはありませんでした。

（＊28）巷間では、「商業を記録するための文字」としてよりも、文字発見のきっかけとなった「亀卜（きぼく、甲骨占）の結果を記した文字」としての方が圧倒的に有名ですが。

第3幕（前1200～前750年ごろ）

第5章

海の民と
アムル人の侵寇

＜古代 第3段階＞

前1200年ごろ突如として襲った寒期が
またしても民族移動を引き起こし、時代を動かす

古代 第3段階の歴史大観

（前1200〜前750年ごろ）

　前1200年ごろ突如として襲いかかった"寒の戻り"によって、前時代（古代 第2段階）までにいまだ国家や文明を形成していなかった民族はこの急激な冷え込みを前にして故郷を棄てて民族移動を起こし、新たな国造りに入った。

・第2次 アーリア系民族（ドーリア人）の移動 → ギリシア都市（ポリス）

・第2次　セム　系民族 （アラム人） の移動 → アラム王国

　それとは対照的に、前時代まで繁栄を謳歌していた国や文明は片端から衰微・混乱・滅亡していくことになる。

・衰微：エジプト新王国・前期ヴェーダ文明

・混乱：バビロン諸王朝・フェニキア連盟

・滅亡：ミケーネ文明・ヒッタイト王国・殷王朝

　また、前時代までヒッタイトの独占状態だった鉄器が、この時代にオリエントを中心として西のエーゲ文明・東のヴェーダ文明へと拡がっていった時代でもあった。

古代 第3段階の歴史展開

（前1200〜前750年ごろ）

　前4千年紀に襲いかかった「寒冷期」（イベント4）はセム系の民族移動を誘発し、前2000年ごろに襲来した「寒冷期」（イベント3）はアーリア系の民

族移動を引き起こしましたが、今回前1200年ごろのそれはその両方が同時に動き出したことで、エーゲ文明からオリエント文明にかけて大混乱に陥りました[*01]。

» 第2次アーリア系民族(ドーリア人)の移動

「アーリア系民族の民族移動」は前回(イベント3)に引きつづきこれで2度目ですが、前回の**アカイア人**とは違い、今回の**ドーリア人**が**鉄器**を以て侵寇してきた[*02]ことは、歴史的に重要な意味を持ちました。

鉄器は前時代まで世界中でヒッタイトだけの独占状態でしたが、その独占が破れたことを意味したからです。

鉄器武装した彼ら(ドーリア)を前にして、いまだ旧態依然とした青銅器(ブロンズ)段階にあった**ミケーネ文明**は絶頂の真っただ中でたちまち崩壊、その後、収拾のつかない混乱に陥ります[*03]。

この混乱はエーゲ海にも及び、そのためエーゲ海とその周辺に棲んでいた人々(海の民)が安寧と新天地を求めて東地中海沿岸に動きはじめたため、ポントス・カスピ海草原(ステップ)のドーリア人 → バルカン半島のアカイア人 → エーゲ海の"海の民" → 東地中海沿岸 …… とドミノ倒しのように民族移動が起き、オリエント世界にまで混乱が波及することになったのでした。

(＊01)これを「紀元前**1200年の破局(カタストロフ)**」といいます。

(＊02)彼らがいつどこで鉄器の製法を知ったのかはわかっていません。

(＊03)これを「**暗黒時代(ダークエイジ)**」といい、狭義では前1100～1000年ごろ、広義では前1200～750年ごろを指します。

» 紀元前1200年のカタストロフ

このとき「海の民」の侵寇を受けることになった東地中海沿岸の国々は、北から順に以下の国が繁栄を謳歌していました。

・アナトリア半島 ：ヒッタイト王国
・シリア沿岸部　 ：フェニキア連盟（盟主シドン市）
・エジプト　　　 ：新王国（第18〜20王朝）

しかし、彼ら（海の民）の侵寇を前にして強勢を誇ったヒッタイトはあっけなく滅亡（c.1190B.C.）。

さらに、当時シドン市を盟主として絶頂期にあったフェニキア連盟も鎧袖一触で潰滅させられ、唯一これを迎撃することに成功したのはエジプト新王国だけでした[*04]。

しかし、これになんとか耐えたエジプトもまた、これを境として、以降衰亡の一途をたどることになります。

特に、ヒッタイト王国が滅亡したことによって、それまで彼らが頑なに守ってきた「鉄器独占」状態が破れ、オリエント中に鉄器が広まっていくことになったことは歴史的な意味が大きいものでした。

» セム系民族（アラム人）の移動

こうして、ヒッタイトとエジプトという両雄がともに滅亡・弱体化したことで、両国に挟まれ、その係争地であったシリアに政治的真空状態が生じます。

（＊04）第19王朝 第4代 メルエンプタハ王の御世（ペルイレルの戦）と、第20王朝 第2代 ラムセス3世の御世（デルタの戦）の2回が記録に残っています。

その"穴"を埋めるようにして、南（アラビア半島）からセム系が侵寇してきました。

それが「**アラム人**」です。

彼らはシリアを橋頭堡としてさらにメソポタミアに侵寇したため、当時のメソポタミアに覇を唱えていた**バビロン第四王朝**を瓦解させたばかりか、その後も**第五王朝**（3代21年）、**第六王朝**（3代20年）、**第七王朝**（1代6年）と血で血を洗うような、かつめまぐるしい短期政権がつづく契機を作ることになりました。

その"諸悪の根源"たるアラム人はメソポタミア南部に定住するようになると、以降の彼らは「**カルデア人**」と呼ばれるようになります。

》　前期ヴェーダ文明、窮境に逢着

一方、こうしたアーリア系・セム系の民族移動の嵐も、インドにまでは届きませんでしたから、オリエントのような大混乱にはならなかったものの、しかしインドもまたこたびの寒冷化の影響は避けられず、急速に衰勢へと向かっていくことになります。

》　殷周革命

インド同様、中国もこたびの民族移動の影響は受けなかったものの、やはりこの時代に生きた国の宿命、「旧時代の覇者がことごとく亡び、新時代の勢力が抬頭する」という本質自体は同じです。

旧時代に覇を唱えた「**商（殷）王朝**」も、寒冷期の到来によって凶作がつづき、急速に衰えていきます。

しかも殷は、その穴埋めを諸侯に押し付けた^(＊05)ため、諸侯から恨みと反発を買うようになります。

　殷の横暴に不満を持った諸侯らは、西の辺境にあった「周」を旗頭として結託、叛旗を翻したのが「**殷周革命**^(＊06)」です。

　ここまで、まったく異なる地域であっても、同じ時代には同じような歴史が展開することを学んでまいりましたが、この時代において、ミケーネ文明にとってのドーリア人、バビロン諸王朝にとってのアラム人に当たる歴史的役割を演じたものが、西の辺境・中国文明にあっては「周」だったというわけです。

》　"短い春"のあと、ふたたび"冬"へ

　これほどの衝撃を与えた"寒の戻り"でしたが、これは長く続かず、いったん温暖化します。

　その温暖化がこの時代の上半期を支えましたが、その"春"も短く、前1000年ごろからふたたびゆっくりとではあるものの世界は寒冷化に向かいました。

　そのため、この前1000年を境としてこの時代は歴史が大きくうねり、時代は下半期へと移行することになるため、以下、下半期の時代を見ていくことにします。

(＊05) たとえば殷は、凶作の原因を「神の怒り」に求め、生贄を献げることでこれを鎮めようとしましたが、その生贄の供出を諸侯に要求しました。

(＊06) 殷周革命の年は、『漢書（律暦志）』によれば「前1122年」、『史記（周本紀）』によれば「前1027年」であり、最近中国で発表された「夏商周断代工程」によれば「前1046年」（ただしこの数字は発表直後から各方面から批判されている）で、その他40以上の諸説が紛々としてよくわかっていません。

»　オリエント世界における新旧交代

　オリエント世界を見ていくと、この地は西から順にエジプト・カナン^{（＊07）}・シリア・メソポタミア地方と隣接して連なっていますが、これまで強国というのはいつも両端のエジプト・メソポタミア地方に現れ、これらの狭間にあってシリア・カナンに生まれた国はこの両国に翻弄され、属国に甘んじてきました。

　ところが、この前1000年ごろに到来した寒冷化が新旧交代を促します。

　農業に頼ってきたオリエントの強国に大打撃を与えて衰亡させ、その隙間を埋めるようにして、この“辺境”の小国が急速に頭角を現すことになったためです。

　バビロン王朝（メソポタミア）・新王国（エジプト）といった前時代に隆盛を極めた国々が一斉に衰亡していく中で、**ヘブライ王国**（カナン）・**シドン都市同盟**^{（＊08）}（シリア臨海部）・**アラム王国**（シリア内陸部）といった国々がこの時代に勢力を揮うようになったのはそうしたわけです。

»　エーゲ海域における新旧交代

　エーゲ海域でも、前時代まで栄えたエーゲ文明が「暗黒時代（ダークエイジ）」と呼ばれる大混乱の中で前1000年ごろまでに雲散霧消し、以降は「**ギリシア文明**」へと移行していきます。

　イオニア人の建設した**アテネ**やドーリア人が建設した**スパル**

（＊07）現在のイスラエル国があるパレスティナ地方。

（＊08）シドン市を盟主とするフェニキア都市同盟のこと。

タといったギリシアを代表する**ポリス**^(＊09)が形成されはじめたのもちょうどこのころです。

しかしながら、この誕生したばかりの新文明もいきなり寒冷期の洗礼を受けることとなり、しばらくはエーゲ海域に小さく閉じ籠もることになりました。

》　ヴェーダ文明の変質

このように、先進文明を築いたオリエントは激動の時代を迎えることになりましたが、インドではこの時代の上半期も下半期も「**ヴェーダ文明**」が続いているため、外から見ている分には一見、前1000年以降の寒冷化の影響はなかったように見えますが、実際にはそうではありません。

インドもまたこの寒冷化の影響で旧来の体制（システム）では対応しきれなくなって塗炭（とたん）の苦しみを味わっていたのですが、インドは山脈や砂漠に囲まれた"封鎖地形"だったため異民族の侵寇がなかったことが幸いし、なんとかこのときの危機を乗り越えることができたにすぎません。

そして、この苦境を乗り越えるために大きな武器となったのがこのころ広まった「**鉄器**（アイアン）」です^(＊10)。

ひとたび鉄器が導入されれば、これまでとは違って灌漑（かんがい）が容易となり、生産性は爆発的に高まりますから、寒冷気候によって落ち込んだ生産力を補うことが可能となります。

（＊09）ギリシア型の都市国家。

（＊10）ヒッタイト滅亡（c.1190B.C.）後、オリエント世界には製鉄技術が拡がっていましたから、おそらく200年の時を経てこのころのインドにオリエントから伝わったのでしょう。

そうなると、いち早く鉄器（アイアン）を導入した地域としなかった地域では貧富の差が拡がり、飢えた者たちは豊かな村を襲撃するようになるのは、すでにオリエントでも学んだとおり。

すると、これに備えるために城壁や濠（ほり）といった防衛設備が必要になり、都市国家が建設され、ひとたび都市国家が生まれたが最後、あとはもう止（とど）むることを知らず、急速に統廃合が繰り返されて「領域国家」に向かう —— という経緯もオリエントの歴史をそのままたどっていきます。

青銅器（ブロンズ）段階まではインダス河畔に限定されていたヴェーダ文明が、前1000年ごろに鉄器（アイアン）を得た途端、ガンジス河畔にまで文化圏を拡げていったのはそうしたわけです。

このように、同じヴェーダ文明でありながら「青銅器（ブロンズ）から鉄器（アイアン）」「原始農耕から灌漑農耕」「集落から領域国家」へと文化特質が大きく変化したため、歴史家は前1000年ごろを境としてそれ以前を「**前期ヴェーダ文明**」、それ以降を「**後期ヴェーダ文明**」と区別するようになります。

》 周王朝の衰退

すでに前1200年の"寒の戻り"で**殷王朝**が衰え、**周王朝**に交替していた中国は、前1000年ごろから始まった寒冷化によって慢性的に財政が逼迫（ひっぱく）しはじめ、はやくも衰退期に入ります。

周は、こうして弱体化した王権を祭祀の強化で補うべく専制化したため、かえって諸侯の反発を喰らってしまった[*11]のに、対外的には慢性的に周辺民族の侵寇を受けるようになり、

（＊11）たとえば、第9代夷王などは斉の哀公を釜茹の刑にしています。

まさに内憂外患、末期症状を呈するようになりましたが、それは殷末のそれと酷似しています。

歴史は繰り返す。

殷が寒冷化によって財政が逼迫すると横暴となり、それが諸侯から恨みを買ったように、周もまた寒冷化で横暴となり、諸侯から反発を受けるようになります。

とはいえ、今回の寒冷化は前回と違ってゆるやかなものであったため、周も短期のうちに崩壊することなく、ゆるやかに衰退していく点は殷とは違う歴史を歩むことになるのですが。

第4幕（前750〜前500年ごろ）

地域統一の完成

第**6**章

＜古代 第4段階＞

前時代までの都市国家・領域国家・文明が
さらに拡大して地域統一を達成していく時代

周の王室は尊ぶけど
オレが全国に号令
させてもらうぜ！

斉の桓公

周王

春秋五覇

これから
領域国家へと
驀進するぜ！

周

楚の荘王

春秋時代

我々長江一帯の国々も
鼎の軽重を問うぜ！

十六王国時代

古代 第4段階の歴史大観

（前750～前500年ごろ）

　前段階（古代 第3段階）までの覇権国家や文明の歴史は、あくま
で「地域（東地中海・オリエント・北インド・華北など）」の中だけで完結
していたが、この時代からはその枠を乗り越え、隣接する地域に
まで影響力を及ぼしていく（地域統一の完成）時代となる。

・東地中海地域：ギリシア諸ポリスが「**大植民運動**」を展開、ギ
　リシア文明圏が東地中海を乗り越え、西地中海に進出する。

・オリエント地域：**アッシリア帝国**がオリエント統一を達成し、
　アケメネス朝が東地中海を臨むようになる。

・北インド地域：ついに**ヴェーダ文明**が北インドを制覇し、中
　部インドにも影響を与えるほどになる。

・華北地域：**春秋・戦国**の混迷期の中にありながら、中国文明が
　華北を飛び越え、華中（長江流域）にまで広がりを見せる。

古代 第4段階の歴史展開

（前750～前500年ごろ）

　前時代（古代 第3段階）の中ごろ（前1000年ごろ）から始まった
寒冷期はこの時代も続いていましたが、紀元前800年ごろに一

時的に急激な冷え込み^(*01)が襲ったことで歴史段階に変化が生まれ、前8世紀半ばを以て、前時代とこの時代を分けることになります。

　このときの急激な寒冷化はすぐに収まったものの、その後もゆるやかな、しかし真綿で首を絞めるような寒冷な気候がずっと続いたことで、この時代に生きる者たちは少ない富を奪い合うことになり、勝った者が栄え、敗れた者が没落していき、貧富の差が広がっていきます。

　こうして、この時代の"生存競争"に敗れた没落民は、国家の不穏分子となって秩序を乱す元凶となるため、各国政府はこれに対応する必要に迫られました。

　内には没落民救済措置を講ずる一方で、外には対外膨張することで社会問題の解決を図ろうとします。

　この時代に覇を唱えた国が、みな揃ってその領土・文化圏を拡大していくのはこうした背景があったためです。

》　ギリシア文明の地中海制覇

　高校の世界史教育では、ちょうどこの時代に「ドラコンの立法」「ソロンの改革」「ペイシストラトス僭主時代」「クレイステネスの改革」「ペリクレスによる民主政の完成」と、アテネ内政について事細かく学ばされるため、さも「古代ギリシア文明の絶頂期」のような印象を抱いてしまいます^(*02)が、史実はそうではありません。

（＊01）これを「イベント2」といいます。
（＊02）というより、作為的にそういう印象操作がされています。

ドラコンが成文法を作ったのも、ソロンやクレイステネスが改革を行ったのも、僭主（テュランノス）が現れたのも、民主政が完成したのも、すべては「寒冷期に伴う没落民の発生が抑えられず、彼らが不穏分子となって秩序が崩壊していくのをなんとか食い止めようとして試行錯誤した姿」というのが真相です。

　したがって、内にはさまざまな没落民救済政策を施す一方、外には「大植民運動」を展開して地中海沿岸に植民都市を建設し、この不穏分子を海外に吐き出そうとします。

> ■ 歴史法則04 ■
> 国内の不穏分子を排除する政策として、
> 政府は植民政策を実施して彼らを国外に吐き出す
> ことで解決を図ろうとすることがある。

　そのため、ギリシア文明が東地中海ばかりか、西地中海にも風靡（ふうび）した（地域統一の完成）ことで、次時代（古代 第5段階）にローマが地中海統一を成す素地が生まれたのでした。

　　》　　史上初のオリエント統一の達成

　前時代において、オリエント世界で覇を唱えた**ヘブライ王国・シドン都市同盟・アラム王国**は時を経ずして衰えていき、これと入れ替わりに力を蓄えていったのが**アッシリア**でした。

　アッシリア帝国が空前の「オリエント統一」の偉業を達成できたのは、周りの国々が一斉に衰微していくという歴史背景があったためです。

　アッシリアは**ティグラトピレセル3世**の御世（みよ）、次々と周辺諸国を併呑（へいどん）していくようになったため、彼が即位した前745年を

境として以降を「帝国時代」と呼んで、それ以前の「王国時代」と区別することがあります^(＊03)。

》 統一王朝の安定化

とはいえ。

ローマでは「内乱の一世紀」を終わらせた J.カエサル然（しか）り。

中国では春秋戦国時代を終わらせた秦王朝然り。

日本では戦国時代を終わらせた織豊（しょくほう）政権然り。

洋の東西を問わず古今を問わず、永きにわたって内乱・分裂状態にあった国に「統一」をもたらした政権はいつも短命です。

> ■ 歴史法則05■
> 永きにわたる分裂・戦乱時代を終わらせ、
> 久方ぶりに天下を統一した政権は短期政権。

アッシリア帝国も例外でなく、文明発祥以来一度も統一されたことのないオリエントにもたらされた統一は20年と保たずに破れ、ほどなく滅亡。

しかし、カエサルの事業を受け継いだオクタヴィアヌス然（しか）り、秦王朝を打倒して生まれた漢王朝然り、豊臣政権の後を継いだ徳川幕府然り、その統一事業を受け継いだ者^(＊04)はみな長期政

(＊03) したがって、ティグラトピレセル3世がアッシリア帝国の「初代皇帝」となります。彼の出自はまったく不明で、彼以前の王家との血縁関係すら疑われており、簒奪者の可能性も高いため、そういった意味でも「初代」にふさわしい。

(＊04) 統一が破れたあとの"後継者争い"を勝ち抜いた者。オクタヴィアヌスは三頭政治を経てアントニウスを破り、劉邦は楚漢戦争で項羽を破り、徳川家康は関ヶ原で石田三成を破って"後継者"たる地位を手に入れています。

権となります。

■ 歴史法則06■
永い分裂時代を経て短い統一政権の後を受けた
次の王朝は長期政権。

　同じように、アッシリア帝国の崩壊後、**四王国分裂時代**(＊05)を経て、統一事業を受け継いだ**アケメネス朝ペルシア帝国**は220年にもわたってオリエント世界を統べる長期政権となったばかりか、以降、今度は東地中海をも臨む（地域統一の完成）ようになります。

》　ゲルマン人の南下

　ところで、前2000年ごろに襲った「寒冷期」以来、ヨーロッパには広く印欧系（アーリア）が棲みついていましたが、今回ふたたび厳しい寒冷期が襲いかかったことで、その最北端(＊06)に入植していた「印欧系ゲルマン人（アーリア）」が故地を棄て、南下を始めます。

　その結果、ゲルマン人は現在のドイツやポーランド北部へ居住地を拡大していくことになり、現在のゲルマン人の居住地域の原型はこのころに生まれたのでした。

（＊05）リュディア王国・新バビロニア王国・エジプト王国（第26王朝）・メディア王国。
（＊06）スカンディナヴィア半島南部からユトラント半島にかけての地域。
　　　　現在のノルウェー・スウェーデン・デンマークのあたり。

» ヴェーダ文明の北インド制覇

インドもまた、ご多分に漏れずこの時代の寒期を生き残る道を"外"に求め、鉄器を武器として膨張を続けたことで、この時代、ついにヴェーダ文明が北インドを制覇したばかりか、中部インドにも文明圏が拡大する（地域統一の完成）ことになりました。

これは、北インドと中部インドがひとつの文化圏で統合されたのは、インドに文明が発祥して以来初めてのことです。

そうした中で、都市国家同士の争いが絶えず、統廃合されて、無数にあった都市国家は領域国家となり、やがて「16」の王国に統合されていくことになりましたが、その中でも二強となったのが、ガンジス川下流の**マガダ王国**と中流の**コーサラ王国**です。

» 中国文明が華北を乗り越え、華中[*07]へ拡大

中国では、前時代に覇を唱えていた周も、このころには都・鎬京（こうけい）を棄てて洛邑（らくゆう）に遷都しなければならない[*08]ほどすっかり衰えていました。

統率者を失い、各地の諸侯が跋扈（ばっこ）しはじめたことで、「**春秋・戦国時代**」の幕開けとなります。

しかし、周がその統制力を失ったことで、その中から数えき

（＊07）長江流域。

（＊08）このときの様子は、後世「周の幽王が"笑わぬ王妃・褒姒（ほうじ）"を笑わせようとして国を亡ぼした」と伝えられましたが、真実はこうした寒冷期を背景とした歴史事情に因るものであって、この故事もどこまで史実かたいへん疑わしい。

れないほどの小さな諸侯^(＊09)がわらわらと現れ、生き残りを賭けて戦を繰り返し、領土拡大に力を注いだ結果、意図としたわけではありませんが結果的に中華文化圏が華中（長江流域）にまで拡がっていくことになりました（地域統一の完成）。

　表面的な歴史を追うと、それぞれまったく違った歴史展開をしているように見えますが、どの文化圏も本質的にはこの時代の特性のまま、同じ歴史が展開していることがわかります。

（＊09）史書に記録されているものだけでも220に及びますから、実際にはこれよりもはるかに多い数の諸侯がひしめき合っていたことでしょう。

第5幕（前500～前350年ごろ）

第7章

地域統一から
　　広域統一へ

＜古代 第5段階＞

地域統一を成し遂げた各地域が接触し、
次時代の広域統一へと向かっていく時代

古代 第5段階の歴史大観

（前500〜前350年ごろ）

　この時代は、前時代（古代 第4段階）に「地域統一」を達成した文明・国家が隣接する地域に進出し、「広域統一」を達成する次時代（古代 第6段階）への過渡期となる。

　都市国家だったものは領域国家となり（西地中海）、

　地域統一を成し遂げた文明と国家が交わり（東地中海）、

　領域国家は統合されていく（インド・中国）ことで、次時代の「広域統一」の"定礎"となる準備段階の時代。

古代 第5段階の歴史展開

（前500〜前350年ごろ）

　ユーラシア大陸の臨海地域は、西から順に、西地中海・東地中海・オリエント・北インド・中部インド・華北・華中・華南といった"地域"に分類され、ひとつの地域を制覇すると「地域統一（古代 第4段階）」、複数の地域を併呑すると「広域統一（古代 第6段階）」となります。

　この時代は、前時代（古代 第4段階）までに地域統一を成し遂げた文明と国家が広域統一へと向かっていく過渡期で、前400年ごろを挟んでその上半期が前時代の影響下にあり、下半期が次代（古代 第6段階）の準備段階になります。

》　ローマ、都市国家から領域国家へ

　これまで西地中海地域は、当時、文明から遠く離れた"辺境の地"にあって、見るべきもの^(*01)もほとんどありませんでしたが、前時代に東地中海に君臨したギリシアの植民都市が進出してきたことで状況が一変しました。

　ギリシアの高度文明に触れたことで、これに炙（あぶ）られる形で急速に発展してきたのが**ローマ**です。

　ローマをつくった**ラテン人**たちは、所謂（いわゆる）「印欧系民族（アーリア）の大移動」の一環としてポントス・カスピ海草原（ステップ）から入植してきた者たちと考えられ、前1000年ごろまでにローマに定着した民族でしたが、その北部には**エトルリア人**^(*02)、南部にはギリシア人が植民してきたため、永らく肩身の狭い思いをさせられてきました^(*03)。

　しかし、彼ら（エトルリア）から文明を吸収して**前509年に独立**を果たすや、この時代が始まった時点では"点"のような都市国家にすぎなかったローマがみるみる隣国を併呑していき、前400年ごろまでには中部イタリアを統一して領域国家に生まれ変わり、以降は**北イタリアを制圧**して、次代（古代 第6段階）の地域統一、次々代の広域統一（古代 第7段階）へとつながる基礎を築くことになります。

（*01）言い換えれば、「後世に影響を与えるような文明や国家、文物」。

（*02）民族系統は不明であるものの、ヘロドトスによればアナトリア半島西部（リュディア）からやってきた民族で、ギリシア文明の担い手でした。

（*03）具体的には、前6世紀いっぱいまでエトルリア人の王に支配されていたと言われています。

》 ペルシア戦争

前時代までに東地中海における「地域統一」を成し遂げたギリシアと、オリエント世界の「地域統一」を成し遂げた**アケメネス朝**でしたが、この隣接する両地域の覇者が激突したのがこの時代です。

その決戦こそ、時のペルシア皇帝**ダレイオス1世**がこの2つの地域を併呑するべく始めた「**ペルシア戦争**」です。

この戦は「三次」「半世紀^{（＊04）}」にもわたり、その結果ペルシアは敗れ、勝ったギリシアも戦後、"大国に勝ったことへの気の緩み"から内乱が相次ぐようになり、前400年ごろを境として**ギリシア・ペルシアともに衰えていく**ことになりました。

そしてその事実こそが、次時代の「広域統一」を生み出す"準備"となっていきます。

》 マガダ王国の北インド統一

前時代までに無数の都市国家から「十六王国」にまで絞られ、中でもガンジス川中流域の**コーサラ国**と下流域の**マガダ国**が有力でしたが、この時代の初期に**シャイシュナーガ朝**がコーサラを亡ぼしてガンジス河畔に覇を唱え、前400年ごろを境として**ナンダ朝**^{（＊05）}がこれに取って代わって北インドを制覇していきました。

（＊04）数え方によっては、「第3次戦」を前480年と前479年で分けて「4次」と数えることもあります。また「半世紀」といっても戦闘そのものの正味期間は13年ほどで、しかもそのうちの10年ほどが休戦状態でした。

（＊05）シャイシュナーガ朝もナンダ朝も「マガダ王国」。

そして、このマガダ王国が次代の「広域統一」を担う国家となっていきます。

》　春秋時代から戦国時代へ

中国もインド同様、前時代までに無数の都市国家から少数の領域国家に統廃合が進んでいましたが、ここでも他の地域同様、前400年ごろを境として上半期が前時代の影響下にあり、下半期が次時代の準備段階にあったため、中国史上において、上半期を「春秋時代」、下半期を「戦国時代」と呼んで区別するようになりました[*06]。

その時代の転換点の大きな要因となったのが「鉄器の導入」です。

これはたいへんに"革命的"な出来事で、中国も青銅器（ブロンズ）は知っていたものの、オリエントより貴重なものだったため、専ら神器・食器・楽器・武器等に使用されるのみで農具に使用されることはほとんどありませんでした。

つまり、農業においては中国はこのころまで「石器時代」だったわけです。

オリエントでは遥か昔、前3000年ごろには終わっていた石器時代が、中国では前5世紀までつづいていたのですから、中国がどれほど"中央"から後れを取っていたかがわかります。

いずれにせよ中国は、石器から青銅器（ブロンズ）を飛び越して、いきなり鉄製農具を導入したわけですから、当然経済に与える影響は

（*06）便宜上、晋が韓・魏・趙に分裂した前403年を以て「春秋時代と戦国時代の境」と考えることが多い。

甚大で、それにより社会が変貌し、政治体制に影響を与えたことで、石製農具によって支えられていた春秋時代は終焉を迎え、鉄製農具によって支えられる戦国時代へと切り替わっていき、次代の「広域統一」への準備を整えていくことになったのでした。

第6幕（前350〜前150年ごろ）

広域統一の成立

＜古代 第6段階＞

前時代までに条件を整えた各地域の主導国家が
「広域統一」を実現していく時代

第 **8** 章

古代 第6段階の歴史大観

（前350〜前150年ごろ）

　この時代は、前時代（古代 第5段階）までに広域統一の条件を整えた各地域の主導国家が広域統一を形成していく時代となる。

　具体的には、**アレクサンドロス帝国**がギリシア文化圏とオリエント文化圏を統合し、史上初の「広域統一」を達成したのを皮切りに、インドでは**マウリア朝**[*01]が北インドと中部インドを、中国では**秦朝**が華北と華中を、遊牧地帯では**匈奴帝国**がモンゴル高原とタリム盆地を併呑して、それぞれ「広域統一」を達成していく。

　地中海では、**ローマ共和国**がイタリア半島を統一後、**カルタゴ**を破って西地中海を制覇、つぎに東地中海に臨んだものの、「広域統一」を目前として次代に譲ることとなった。

古代 第6段階の歴史展開

（前350〜前150年ごろ）

　この時代は、ユーラシア大陸の各地に「**ローマ共和国**（地中

（＊01）国名はマガダ王国。アレクサンドロス大王がインドにまで侵攻してきたことで、その危機意識から急速に統一化が進みました。アレクサンドロス帝国が生まれたのが前330年代、マウリア朝が生まれたのが前320年前後。

海）」「**アレクサンドロス帝国**（西アジア）」「**マウリア朝**（インド）」「**匈奴帝国**（北アジア）」「**秦漢帝国**（東アジア）」が生まれて、つぎつぎと「広域統一」を成し遂げていった時代です。

それらの動きをもう少し詳しく追っていくことにしましょう。

≫ 史上初の「広域統一」帝国の誕生

前時代までに、ギリシア文化圏とオリエント文化圏に展開した国家（アテネ帝国とアケメネス朝）は一斉に衰えていきましたが、この時代になると、その隙を突く形で現れたのが**アレクサンドロス大王**です。

彼は疲弊しきっていた両文化圏の国々をたちまち制圧して未曾有の大帝国を打ち建て、人類史上初の「広域統一」を完成させます。

しかしながら。

短期間のうちに急激に拡大した組織というのは短期間のうちに解体するもの。

■ 歴史法則07 ■
短期間のうちに急成長した組織は解体するときも一瞬。
長い時間をかけて形成した組織はゆっくりと解体する。

そのため、ギリシア文化圏から生まれてオリエント文化圏を併呑し、向かうところ敵なしだったアレクサンドロス帝国とて例外たり得ず、成立からわずか10年ほどで解体し、その故地には**ヘレニズム**諸小国が割拠するようになります。

≫　インドでの「広域統一」達成 ―― マウリア朝

　ところで、アレクサンドロス大王はオリエント世界どころか、一時はインドにまで臨んだことがありましたが、そのことがインド文化圏を刺激することになりました。

　このころのインドは**ナンダ朝**の末期にあって戦乱が続いており[*02]、こうした情勢の中にあって強大な外民族の侵寇を受けたことで危機意識が高まり、天下統一を希求する声が高まります。

　こうして生まれたのが**マウリア朝マガダ王国**です。

　ナンダ朝の旧領（北インド）を復活したマウリア朝は、再寇してきた**セレウコス朝**[*03]を撃退したばかりか、**デカン高原（中部インド）にまで侵寇してこれを制圧**、アレクサンドロス帝国の「広域統一」とほぼ時を同じうして、こうして**インドでも「広域統一」**が成立することになりました。

≫　中国での「広域統一」達成 ―― 秦漢帝国

　ところで、これまで見てきましたように、文明開闢（かいびゃく）以来つねにオリエントが時代の最先端を走り、"地球の中心"ともいうべき位置を占めてきました。

　この時代においても世界に先駆けて「広域統一」を成し遂げた

（*02）日本でいえば、室町幕府末期の政情に近い。幕府（ナンダ朝）はまだ存在していたとはいえ、すでに全国を統制する力はなく、各地に大名（地方政権）が割拠している状態。そしてこの諸大名の中で前政権を倒した者がつぎの統一政権（マウリア朝）を担うことになるところまで同じです。

（*03）アレクサンドロス帝国解体後に生まれた帝国後継（ディアドコイ）国のひとつ。

のはオリエントでしたし、インドもこれに炙られる形で続いています。

しかし、オリエントからかなり離れた中国では、この動きは少し遅れます。

オリエントでアレクサンドロス帝国が、インドでマウリア朝が「広域統一」を成し遂げていたころ、中国はまだ「戦国時代」にあって「七雄」が争覇していました。

しかし、この時代の後半（前3世紀半ば〜）に入ったころから急速に秦が力を付けはじめ、前256年に東周を亡ぼしたことを皮切りにつぎつぎと六国（＊04）を併合。

そして、この時代の終わりごろになってようやく、秦が華北・華中・華南という複数の地区を併呑した「広域統一」を成し遂げます。

ただし、アレクサンドロス帝国がそうであったように、永らく分裂が続いた後を受けた統一国家は短命なもの。

秦の統一もわずか15年で破れ、その遺産は漢朝に継承されることになります。

》　北アジアでの「広域統一」達成 ── 匈奴帝国

アレクサンドロス帝国の「広域統一」が、隣のインドを触発してマウリア朝の「広域統一」を生んだように、東アジアでも秦の「広域統一」に触発されて生まれたものが冒頓単于による匈

（＊04）「六国」とは、戦国の七雄のうち秦を除く6ヶ国のことを指します。
　　　　戦国時代そのものは200年近く続きましたが、ひとたび七雄のバランスが崩れてからの展開は早く、六国を亡ぼすのに要した時間は、韓併合（前230年）から斉併合（前221年）までのわずか10年にも満たないものでした。

奴帝国でした。

　彼らは、秦滅亡後の混乱(＊05)に乗じて、蒙古高原に史上初の統一王朝を興したばかりか、さらに中央アジアまで進出してこれを呑み込み、「広域統一」を成し遂げます。

》 「広域統一」目前となったローマ共和国

　このように、「広域統一」はこの時代にオリエントから発して、東に隣接するインド、さらに東の中国、その北の蒙古へと順々に"伝播"していきましたが、この動きがもっとも遅れたのが"辺境の地"ヨーロッパ(＊06)でした。

　アレクサンドロスが帝国を築き、インドでマウリア朝が生まれたころ、ヨーロッパでめぼしい動きといえばイタリア半島の片隅に生まれたローマが半島統一に邁進していたことくらいです。

　しかし、これまで学んでまいりましたように、歴史にはその時代ごとに特有の"流れ"というものがあり、ひとたびそれに乗ってしまえば、それがどんな存在であろうが隆盛を極め、その勢いたるや止まるところを知りません。

■ 歴史法則08 ■
ひとたび"時代の流れ"に乗ってしまえば、
それが国家であろうが個人であろうが関係なく、

(＊05)秦が滅亡した前206年から漢が興った前202年まで展開した楚漢戦争のこと。

(＊06)文明偏差値的に見たとき、当時はオリエントが"中央"であり、インド・中国が"地方"、ヨーロッパは"辺境"と評してよいレベルでした。

> 個人であれば優秀であろうが無能であろうが関係なく、
> その者は人間の想像を超えた勢いで発展する。

　都市国家として生まれたローマが、ようやく半島統一を達成するまでに要した時間は250年弱。

　"地球の辺境"にあって、他の覇権国家よりかなり出遅れたにもかかわらず、ひとたび半島統一を成し遂げてからのローマの勢いはすさまじい。

　すぐさま西地中海の覇者であった**カルタゴ**に挑んで[*07]これを倒し、西地中海を制したかと思ったら、休む間もなく、そのまま東地中海沿岸諸国をも次々と併呑、人間の想像をはるかに超えた勢いで領土を拡大していきました。

　しかし、やはり最初に出遅れたハンディは大きく、この時代までに「広域統一」を達成することはできなかったものの、それを目前とし、次代（古代 第7段階）の初頭で達成することになります。

（＊07）所謂「ポエニ戦争」。前264〜146年の3次120年近くにわたって西地中海の覇権をめぐって争った戦い。

温暖化で新旧交代が起こる理由

　寒冷化が襲いかかったことで、前時代まで温暖期に支えられて繁栄していた国が崩壊し、王朝や文明の"新旧交代"が起こることは理解しやすいですが、逆に、寒冷期から温暖化が到来したときは、暖かい気候に支えられて農業生産が上がるのですから、旧時代の繁栄国も新進気鋭の新興国も一様にすべての国が繁栄しそうなものです（歴史法則01、p31）。

　しかし、現実にはそうはなりません。

　まず第一に、国家が繁栄するためにはその身をその時代の特性にぴったりマッチさせなければなりません（歴史法則09、p120）。

　つまり、寒冷期に繁栄した国は、「寒冷期」という時代の特性に国家組織をぴたりと合わせることに成功したからこそ繁栄できたと言えます。

　そこに、「温暖期」という新しい時代が到来すれば、時代の特性が激変するため、時代に合わなくなった旧来国家はたちまち崩壊していくことになります（歴史法則03、p65）。

　それは「温暖な気候による農業生産力の向上」などというプラス要因などケシ粒のように吹き飛ぶほどの破壊力を持ちます。

　理屈の上では、新時代に合わせて国家組織を革新することに成功すれば新時代を生き延びることができますが、国家組織というものは繁栄の中で組織疲労を起こす（歴史法則10、p121）ため、現実問題として繁栄している国であればあるほど組織改革は至難の業で、それを成し遂げることができた国は人類史をくまなく紐解いてもほとんどありません。

第 7 幕 (紀元前 150 〜 紀元元年ごろ)

第 9 章

ローマと漢帝国 広域統一の拡大

＜ 古代 第 7 段階 ＞

「広域統一」を成し遂げた国家の中から
ローマ・漢の二大帝国だけが生き残り、
さらなる拡大と矛盾を内包させる時代

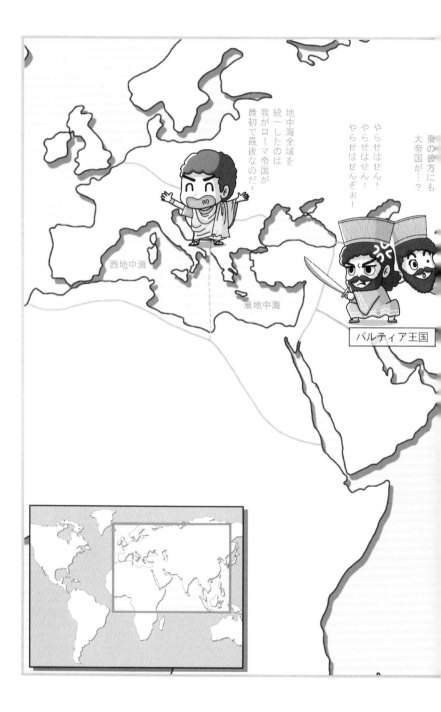

古代 第7段階の歴史大観
（紀元前150〜紀元元年ごろ）

　この時代は、永く続いていた寒冷期が明けて温暖期に入ったことで、それまで"中央（オリエント）"だった地域が地方化し、"地方（ヨーロッパ・中国）"から超大国が生まれて時代を牽引していくことになる時代。

　これまでずっと"辺境"に位置したローマと中国が「広域統一」を完成または拡大させ、これとは対照的に、この両大国に隣接していたヘレニズム世界と匈奴帝国はどちらも四分五裂していき、消滅または風前の灯火となる。

　さらにその外殻地域では、西アジアでパルティア王国が命脈を保つのが精一杯で、インドと中央アジアに至っては諸小国割拠の動乱時代という惨状となっている。

古代 第7段階の歴史展開
（紀元前150〜紀元元年ごろ）

　ひとつの時代に覇を唱えることができた国は例外なく、その"時代の特性"と自国の組織や制度をピッタリと合わせた国です。

■ 歴史法則09 ■
その"時代の特性"と自らの特性をピタリと一致させる

　ことに成功した存在（国・組織・階級など）だけが、その
　時代の覇者たり得る。

　したがって、"時代の特性"が変わってしまえば、時代に合わ
なくなった覇権国家は衰亡していく運命にあるのは、洋の東西
と古今を問わぬ「鉄壁の歴史法則」となります。

　ところで、前1000〜200年ごろまで800年近く続いていた寒
冷期（＊01）も前時代（古代 第6段階）の末からようやく温暖化に向
かいました。

　すると、これまで「寒冷期」という時代特性の中で繁栄して
きた国と地域は急速に衰え、前時代まで揮わなかった国と地域
が力を増してくることになります（＊02）。

　ここまでつねに時代の最先端を走っていたオリエントが急速
に地方化し、その"辺境"にすぎなかったヨーロッパと中国で
超大国が出現するひとつの大きな理由となります。

　しかし、繁栄と腐敗は表裏一体。

　ローマと漢は繁栄とともに腐敗し、内部矛盾を拡大させて崩
壊過程をたどることになります。

　■ 歴史法則10 ■
　繁栄している国はかならず内に腐敗が進んでおり、
　次代の崩壊の原因となる。

（＊01）本書の時代区分で言えば、古代の［第3段階］中期〜［第6段階］末期。
（＊02）詳しくは、前幕コラムを参照。

» ローマ共和国の領土と内部矛盾の拡大

前時代（古代 第6段階）までに**カルタゴ**を破り、西地中海に覇を唱えていた**ローマ**は、この時代いっぱいかけて東地中海沿岸の**ヘレニズム**諸国をつぎつぎと併呑していき、ついにはヘレニズム国家をすべて亡ぼして人類史上最初で最後の「地中海統一」を成し遂げます。

これにより、他地域より出遅れたものの、ついにヨーロッパ地域も「広域統一」が達成され、これですべての地域で「広域統一」国家が出揃ったことになります。

しかし。

出遅れた分、あまりにも急激に領土を拡大したローマは、国内問題が山積していました。

そもそも組織の運営システムというものは、小さな組織には小さな組織に適した、大きな組織には大きな組織に適したシステムがあります[*03]。

> ■ 歴史法則11 ■
> 組織の運営は組織規模に見合ったシステムがあり、
> 組織規模が大きくなればシステムが合わなくなる。

ローマがかくも急激に領土を拡大できたのは、その統治システムがたいへんうまく機能していたからです。

（＊03）大小すべての組織に万能な運営システムというものは存在しません。
子供には子供用の服を着せ、成長すれば体の大きさに見合った服に着替えさせますが、組織も同じで、組織規模に見合った運営システムでないとうまく機能しません。

しかし、都市国家から始まったローマが運用していた統治システムももちろん「都市国家用」でしたから、国がどんどん大きくなるにつれ、どんどん統治システムが組織と合わなくなって悲鳴を上げるのは当然のことです。

外から見れば、つぎつぎとヘレニズム諸国を併呑して“飛ぶ鳥を落とす勢い”のようでありながら、内には、後世「**内乱の一世紀**[*04]」と呼ばれる大混乱に陥ったのは、「都市国家用の統治システム」から「大帝国用の統治システム」に生まれ変わる、いわば“産みの苦しみ”だったのです。

》 前漢王朝の領土と内部矛盾の拡大

中国は、前10世紀以来の寒冷期の中で、西周・春秋・戦国と燻（くすぶ）りつづけてきましたが、今回の温暖化を背景として前時代までに「広域統一」を達成するや、この時代はローマ同様その勢いのまま拡大を続けます。

このときの皇帝こそ、かの**前漢の武帝**です。

彼は**匈奴**を叩き[*05]、中央アジアを呑み込み、華南を押さえ、朝鮮半島を属国にして、彼の御世（みよ）において帝国領は2倍にもなりましたが、それもこれも“彼の力量”というより温暖化を背景とした歴史の流れが彼を大征服者に押し立てたと言った方がよいでしょう。

（＊04）グラックス兄弟の改革が始まった前133年からローマ帝国が生まれる前27年までの約1世紀。

（＊05）匈奴はこの時代、東西に分かれ、南北に分裂し、前漢王朝の発展とは対照的に弱体化していきました。

しかし、繁栄と腐敗は表裏一体[*06]。

　相次ぐ外征の成功は皇帝の権威を高めましたが、それは同時に皇帝の発言力を絶対化させ、家臣の諫言（かんげん）が届かなくなり[*07]、忠臣・賢臣が遠ざけられ佞臣（ねいしん）・奸臣（かんしん）[*08]が蔓延（はびこ）ることになります。

　そうした奸臣・佞臣らが中央にあって汚職をしないわけがなく、地方に赴いては酷吏（こくり）となって苛斂誅求（かれんちゅうきゅう）を行い、そのうえ無理な対外遠征が祟（たた）って財政は破綻。

　それを増税につぐ増税で賄（まかな）おうとしたため、税が払えなくなった農民の流民化が発生し、彼らは盗賊と化し、各地で叛乱を起こし、武帝の死後にはこうした内部矛盾が急速に表面化して衰退していくことになります。

　あたかもローマと歩調を合わせるように。

》　ローマに隣接する地域、ヘレニズム世界

　「広域統一の拡大」とそれに伴う「内部矛盾の浸透」。

　ユーラシア大陸の西の果て「ローマ」と東の果て「前漢」でまったく同じ動きをする大帝国が現れたこの時代、その狭間にあった地域は両国の圧迫を受けて後退と混乱の時代になります。

　ローマに隣接したヘレニズム世界は、**アンティゴノス朝マケドニア**（前168/133年）、**アッタロス朝ペルガモン**（前133年）、**セレウコス朝シリア**（前64/63年）と、順次ローマに呑み込まれて

（＊06）「歴史法則10」（p121）を参照のこと。

（＊07）「諫言を許さぬ者はかならず亡びる」とは家康の言葉。

（＊08）佞臣とは「主君におもねり身の保身しか考えていない家臣」のことで、
　　　　奸臣とは「よこしまな考えを持つ腹黒い家臣」のこと。

いったあと、この時代の末には最後に残っていた**プトレマイオス朝エジプト**（前30年）が亡んだことでついに消滅。

旧ヘレニズム世界で生き残ることができたのは、途中でヘレニズムから離脱（前2世紀半ば）した**パルティア王国**のみで、これもなんとか命脈を保つのが精一杯という有様でした。

≫ 中国に隣接する地域、中央アジア・インド

前時代までモンゴル高原から中央アジアまで広域統一を成し遂げていた匈奴は、この時代、前漢王朝の侵寇を受けて衰亡の一途を辿り、中央アジアは中国に呑み込まれていきました。

中央アジアの激震はインドにまで影響を及ぼし、**マウリア朝**の解体後、永らく“戦国”の様相を呈していたインドを混乱させ、ガンジス川下流にマウリア朝の後継シュンガ朝が細々と命脈を保つのが精一杯という状況で、この状況はローマに隣接するヘレニズム世界の動きとよく似ています。

こうしてみると、ローマと中国、この二大国に挟まれた地域は両国に蚕食されていいところがないように見えますが、じつはその中から次代を担う王朝が生まれていました。

それがローマからも中国からももっとも遠いところ、中部インドに現れた**サータヴァーハナ朝アンドラ王国**です。

第8幕（紀元元年〜後200年ごろ）

ローマと漢帝国 広域統一の変質

第**10**章

＜古代 第8段階＞

広域統一の二大帝国が往時の勢いを失い、
一見繁栄を装いながら、
内に矛盾が拡大し変質していく時代

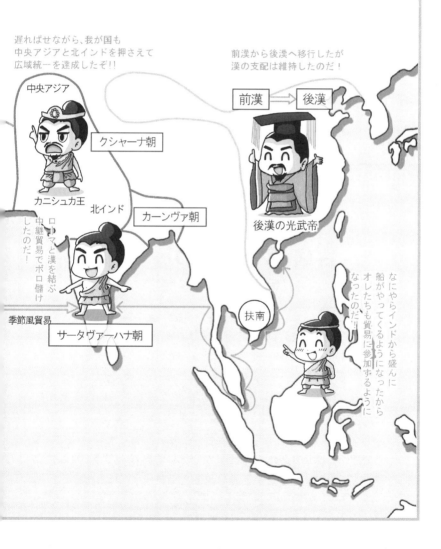

温暖期

遅ればせながら、我が国も中央アジアと北インドを押さえて広域統一を達成したぞ!!

前漢から後漢へ移行したが漢の支配は維持したのだ!

中央アジア

クシャーナ朝

カニシュカ王

北インド

カーンヴァ朝

前漢 ⟹ 後漢

後漢の光武帝

ローマと漢を結ぶ中継貿易でボロ儲けしたのだ!

季節風貿易

サータヴァーハナ朝

扶南

なにやらインドから盛んに船がやってくるようになったからオレたちも貿易に参加するようになったのだ!

古代 第8段階の歴史大観
（紀元元年〜後200年ごろ）

　前時代（古代 第7段階）から始まっていた温暖化はこの時代も続いたため、各地域はさまざまな問題を孕みながらも安定に向かうが、それぞれの地域の歴史背景によってその展開も変わってくる。

　前時代に「広域統一」を達成したばかりかさらなる拡大をしていた超大国（ローマ・漢）は国内矛盾を拡大させながらも安定期に入り、なんとか地区統一を維持していた国（パルティア）は小康を続け、混乱していた地域（中央アジア・インド）には新たに統一王朝（クシャーナ朝・サータヴァーハナ朝）が生まれた。

古代 第8段階の歴史展開
（紀元元年〜後200年ごろ）

　ユーラシア大陸の東西両端に生まれた超大国（ローマ共和国・前漢王朝）は、前時代（古代 第7段階）において、外から見るかぎり領土がさらに拡大して勢い盛んのように見えましたが、中を開いてみればすでに身体中に"癌細胞"が転移して、内部矛盾が拡大していました。

　そうした状況を受けて新しい時代を迎えたのですから、それまで全身に転移していた"癌細胞"が一気に噴出し、悶絶のうちに亡びゆく歴史が展開するかと思いきや、前時代から続く温暖化が崩

壊を支える力となり、その絶妙な均衡が安定期を現出します。

　問題山積のローマ・漢帝国ですらそうなのですから、両大国に挟まれて混乱にあった地域も、この時代に入るとこぞって安定期・発展期に入ることになります。

》　ローマは「共和政」から「帝政」へ変質

　この時代は、900年にわたって続いた古代ローマの歴史の中でも「Pax Romana（ローマの平和）」と呼ばれる安定期です。

　これを古代ローマの「絶頂期」「最盛期」と説明している本も散見されますが、そうした見解は、モルヒネが投与された癌患者の症状が安定したからと「健康になった」と無邪気にはしゃぐ人に似ており、木を見て森が見えておらず、雫を見て大河の流れが見えていません。

　その喩えでいえば、前時代から続く「温暖化」が“モルヒネ”の役割を果たして、内部矛盾が浸透し崩壊に向かおうとするローマと漢王朝を支えて安定しているように見えるだけで、いわば“対症療法”であって“根本治療”となっておらず、ほんとうに繁栄しているわけではありません。

　“Pax Romana”もその実態は、口上では「共和政」を標榜しながら、実際には強権を発動した「帝政」で、これにより内の不満を抑え込むと同時に、これを対外戦争に昇華させる“一時凌ぎ”をしているにすぎないのです。

　ひとたび蓋を開けば、その200年間[*01]、戦争・内乱の起こ

（＊01）初代アウグストゥス帝から五賢帝最後のM.A.アントニヌス帝に至る「Pax Romana」期（前27年〜後180年）。

っていない年はなく、お世辞にも「平和(バックス)」などと呼べる代物ではありませんでした。

それでもその前後の時代(＊02)に較べればはるかに安定していたということで「Pax Romana」などと言われているにすぎないのです。

》　漢は前漢から後漢へ交替する中で変質

中国（漢王朝）もまた「膨らみつづける国内矛盾を腹中に抱えながらも、温暖期に支えられて表面的には安定期を迎えていた」という点で本質的な部分ではローマと同じ動きをします。

ローマと違う点は、ローマが共和政から帝政へと「体制改革」をすることで生き残りを賭けたのとは違い、中国の場合は体制（帝政）を変えるという発想がないため、ローマのような方法を採ることはできずいったん滅亡してしまったこと。

しかしそのことで王朝を腐敗させていた"膿(＊03)"を吐き出すことに成功(＊04)したため、王朝を再建させることで200年の安定期を迎えています。

またローマが民主から独裁へと「強権」を以(もっ)て国難を凌(しの)ごうとしたのとは対照的に、漢は帝権が弱体化し、豪族の支持を以て体制を維持するという方向性を示します。

とはいえ、崩壊のベクトルとこれを支える力が絶妙に釣り合

（＊02）「Pax Romana」の前が「内乱の一世紀」、後が「軍人皇帝時代」と呼ばれる、収拾のつかない大混乱の時代。

（＊03）皇帝を操る外戚・宦官、政府の中枢に巣くう佞臣・奸臣、地方にはびこる酷吏・汚吏など。

（＊04）「意図的に」ではなく「結果的に」ですが。

って調和が保たれた点は、ローマ・漢ともに同じでした。

» ローマと中国を結ぶ「海の道」

ローマ・後漢の二大帝国が曲がりなりにも同時に安定期に入ったことで、この二大帝国に挟まれた地域(*05)にも大きな変化が生まれます。

それはこの両帝国が安定を背景として交易を望むようになったためです。

ユーラシア大陸の東西の端に生まれた両帝国が交易するとなると、交易路としてまず考えられるのが「絹の道」ですが、この時代の上半期は中央アジアが政治的に安定していなかったために交易路として適しません。

その北を走る「草原の道」も後漢が匈奴と敵対関係にあったために使えません。

交易はしたいが、そのための"道"がない。

しかし、需要が生まれれば供給が生まれるものです。

——絹の道もダメ、草原の道もダメとなれば、

　　新しい道を切り拓くのみ！

こうして新たに生まれた第三の交易路がアジア大陸南縁部を海で繋いでいく「海の道」です。

この航路が切り拓かれたころ、そのちょうど中間地点のインド東海岸を押さえていたのが**サータヴァーハナ朝**でした。

サータヴァーハナ朝は地の利を得てローマと中国の中継貿易で発展し、やがて中部インドを統一するまでになります。

(*05)イラン〜中央アジア〜インド地域。

こうして海上交易が発展すると、これに触発され、航路上に位置していた地域でつぎつぎと国家建設が始まります。

それが「扶南」であり「林邑」です[*06]。

新しい航路が切り拓かれたことで、大陸南縁部が急速に発展することになりましたが、それは裏を返せば、ローマ・中国が混迷期に入れば交易が衰えることになり、そうなれば、サータヴァーハナ朝もまた衰亡していかざるを得ない宿命を負っていることを意味しました。

そしてそれは次時代（古代 第9段階）に現実になります。

》　ローマと中国を結ぶ「絹の道」

その一方で、絹の道の模索も続きます。

代表的なところでは、このころ中国は甘英[*07]をローマ帝国に派遣[*08]していましたし、ローマからはM．A．アントニヌス帝が中国に使節を派遣[*09]しています。

こうした動きに触発され、前時代まで混乱していた中央アジ

（＊06）「扶南」は1世紀末ごろにカンボジアに、「林邑」は2世紀末ごろヴェトナム中部に生まれました。

（＊07）当時、後漢の西域都護であった班超の部下。

（＊08）『後漢書』に拠ると「甘英は大秦国（ローマ帝国）に向かうため、安息国（パルティア王国）を越えて条支（シリア）にまで到達したが、大海（地中海）に阻まれて断念した」とあります。この「条支」というのが「シリア」だとする解釈が正しければ、甘英はローマ皇帝との謁見は叶いませんでしたが、一応ローマ帝国の土を踏んだことになります。

（＊09）『後漢書』に拠ると、「大秦国安敦王の使節が日南郡にやってきた」とあります。この「安敦王」というのが「M．A．アントニヌス帝」だと言われ、日南郡は現在でこそヴェトナム領（ユエ）ですが、当時は漢帝国領でしたから、このときのローマ使節は漢皇帝との謁見こそ叶いませんでしたが、一応漢帝国の土を踏んだことになります。

アでも統一化の動きが起こり、シル川下流域に**クシャーナ朝**が生まれるや(*10)、たちまち**ソグディアナ**(*11)を制し、さらにはカイバル峠を越えてインド世界にも侵寇、北インドのほとんど(*12)を制圧した結果、中央アジアから北インドに至る「広域統一」が達成されました。

カニシュカ王の下、「**仏典結集**(*13)」が行われて大乗仏教が発展し、北インドに「**ガンダーラ美術**(*14)」が栄えたのもこのころです。

こうしてローマと中国の"二強"に挟まれていた地域には、両国の交易が促進されたことによって、中央アジアにクシャーナ朝、インドにサータヴァーハナ朝と統一化が進む時代となったのでした。

(*10) クシャーナ朝が生まれた詳しい背景はよくわかっていません。

(*11) 北をアラル海、東をシル川、西と南をアム川に囲まれた地域。

(*12) ガンジス川下流域を除く。

(*13) 第4回。現在の大乗仏教の経典となる。

(*14) 仏像の彫刻様式。元来仏教は仏像彫刻を禁じていましたが、クシャーナ朝という外人王朝の下で解禁となった。

創業は易く、守成は難し

ローマ帝国が「Pax Romana」を謳歌しているとき、誰が「ローマがこの地球上から影も形もなくなる」と信じることができたでしょうか。

漢も唐もアッバース朝も、その他どんな大帝国も「時間」の壁だけは越えられませんでした。

そのことを思えば、今我々の目の前で強勢を誇っているアメリカも中国も、ほんの数十年先、長くても百年もすれば跡形もなく亡んでいるだろうことは容易に理解できます。

「長い伝統を有しながら、つねに新しい時代に我が身を合わせる」というのはほとんど不可能に近く、実際そのようなことを成し遂げることができた民族・国はこの悠久なる人類の歴史の中にまったく存在しないからです。

日本だけを唯一の例外として。

よく言われるジョークがあります。

── 世界にはたった2種類の国しかない。

それは「日本」と「それ以外のすべての国」だ。

日本という国が、あらゆる側面において他の国と特性が違いすぎることを謳ったものですが、無疆なるこの世界で日本だけが唯一「神話時代から連なる王朝」を21世紀の現代にまで護ることができたのは、日本人だけが有する、その類稀なる"特殊能力"のおかげです。

日本人だけが持つ、この古き佳きその"特殊能力"を失わない限り、日本はこれからも安泰でしょう。

第9幕（200〜400年ごろ）

第**11**章

ローマ・漢帝国広域圏の分裂化

＜古代 第9段階＞

いままでの体制が行き詰まりに逢着して
解体しはじめ、次時代の分裂の萌芽が始まる時代

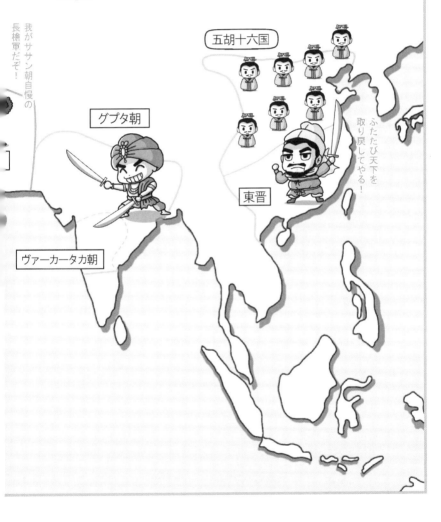

寒冷期

我がササン朝自慢の
長槍軍だぞ！

グプタ朝

ヴァーカータカ朝

五胡十六国

東晋

ふたたび天下を
取り戻してやる！

古代 第9段階の歴史大観

（200〜400年ごろ）

　前時代（古代 第8段階）とこの時代（古代 第9段階）を分けたのは、やはり寒冷期だった。

　環境の激変で、前時代まで栄えていた国はそろって衰亡し、これまで燻（くすぶ）っていた地域からは盛国が現れた時代。

　永らく広域統一を維持してきた二大帝国・ローマと漢王朝はこの時代の上半期には歩調を合わせるようにして亡びに向かい、下半期はどちらも次時代（中世 第1段階）の「分裂時代」への過渡期となる。

　上記二大帝国に挟まれていた地域においても、前時代に隆盛を誇った**クシャーナ朝・サータヴァーハナ朝**がやはり分裂・解体を繰り返して衰亡していく。

　これに対して、前時代まで永らく燻（くすぶ）っていた地域（イラン・北インド）には**ササン朝・グプタ朝**が生まれて隆盛期に入った。

古代 第9段階の歴史展開

（200〜400年ごろ）

　永らく続いていた温暖期もついに終わりを告げ、この時代からはふたたび寒冷期に突入します。

　これまで見てきましたように、温暖期から寒冷期またはその

逆と、気候が大きく揺れるときにはそれまで繁栄を謳歌していた国は潰え、前時代まで影も形もなかった国・燻っていた国が隆盛するという逆転現象が起きます[＊01]。

　今回も例外ではありません。

　前時代（古代 第8段階）まで安定期にあった**ローマ帝国・後漢王朝・クシャーナ朝・サータヴァーハナ朝**は、この時代（古代 第9段階）の幕開けとともに一斉に崩壊が始まり、前時代まで混乱・分裂・服属に甘んじてきた国々が隆盛期に入ります。

　では、それをもう少し詳しく見ていくことにしましょう。

》　解体していく古代ローマ帝国

　この時代に入るや、ついこの間まで「Pax Romana」「五賢帝時代」などと謳われていたのが嘘のように、一気に帝国の崩壊が始まります。

　歴史に疎い者にとっては、「ついこの間まであれほど繁栄していた国がどうして!?」と訝しく感じるほどですが、すでにご説明しましたように、前時代までの"平和"はあくまで「－ベクトル（崩壊）」と「＋ベクトル（温暖気候）」が±0となった絶妙な調和の上で保たれていただけの"見せかけの平和"であって、"支え（温暖気候）"を失えば一気に崩壊する程度の殆ういものだった——ということを知っていれば、この時代の崩壊も当然のことと理解できます。

　ローマでは、寒冷化の到来によって帝国の収益が急速に悪化し、その結果、兵への給与が滞ることが常態化していきます。

（＊01）本書「第8章 第6幕」のコラムを参照。

兵の不満が募り、それはやがて各地で「兵乱」という形となって表面化してきました。

　しかしながら。

　洋の東西と古今を問わず、"正統性"や"大義名分"を持たぬ叛乱軍など、「賊軍」の汚名を着せられて鎮圧・処刑される定めにあります。

　生き残りたいならば、叛乱軍は自らの"正統性"を掲げねばなりません。

　こうして叛乱軍は勝手に「新皇帝」を祭りあげたため、帝国各地で皇帝を僭称する者が現れ、帝国は収拾のつかない大混乱に陥りました。

　一兵卒が皇帝を僭称し、何人もの皇帝が併存して、血で血を洗うが如き混迷の時代を政治的には「軍人皇帝時代^(＊02)」といい、社会的経済的には「３世紀の危機」と呼びます。

》　ローマ、東西分裂時代への序曲

　もはや「放っておけば解体に向かう」帝国を担うのに凡帝では荷が重く、帝国にふたたび統一をもたらすためには「英主」の出現が待たれますが、その歴史的役割を担って現れた人物こそが**ディオクレティアヌス帝**です。

　彼は対立皇帝・僭称皇帝をつぎつぎと討ち破って久しぶりの「単独皇帝」となり、ローマに再統一をもたらしました。

　しかしながら、この偉業を成し遂げた彼の力量を以てしても、

（＊02）広義では**セプティミウス・セヴェルス**が即位した193年から、狭義ではマクシミヌス・トラクスが即位した235年から数えて、ディオクレティアヌス帝が即位した284年まで。

「もはや、解体しつづけるこの帝国を一人の皇帝で統治すること
は不可能」と悟り、「四分割統治」を断行。

したがって実質的な統一は10年と保たず（＊03）、以降の帝国は
「統一」とは名ばかりの分裂時代を迎えます。

次時代の「ローマ帝国の東西分裂」の前提条件はすでにこの
時代に生まれていたのでした。

» 解体していく中国

ローマが「平和」から「危機」に陥落する転換期となった
のが180年から193年（＊04）ごろですが、まるで息を合わせるよ
うに、まさにちょうどそのころ中国でも「安定期」から「混乱
期」の転換期となる象徴的事件が起こっていました。

それが「黄巾の乱（184〜192年）（＊05）」です。

後漢は第4代和帝以降、原則として幼帝が立ち、その幼帝の
横には外戚・宦官が控えてこれを操り、宮廷には奸臣・佞臣が
巣構い、地方には酷吏・汚吏が蔓延、この悪政に耐えかねた農
民は流民と化して各地で盗賊・叛徒となって国を荒らす。

このように、前漢と同じ途をたどっていき、その行きつく先
に発生したのが「黄巾の乱」です。

この叛乱を境として、中国史は所謂『三国志』時代に入りま

（＊03）ディオクレティアヌス帝がローマを「再統一」したのが284年、統一を諦め
て「分割統治」をはじめたのが293年。その間、わずか9年です。

（＊04）広義で解釈した場合。五賢帝時代が終わって（180年）からセヴェルス朝が立
つ（193年）まで。

（＊05）黄巾の乱の首謀者・張角自身は決起の年（184年）に死亡してしまいました
が、その後も黄巾残党が各地で叛乱を続け、これら残党があらかた鎮圧された
のが192年です。

すが、各地に「皇帝」を僭称する者が現れた[*06] この時代は、ローマ史では「軍人皇帝時代」を彷彿とさせます。

世紀でいえば３世紀ごろ（184〜280年）でしたから、時代的にもローマの「３世紀の危機(クリシス)」に符合します。

》　中国、南北分裂への序曲

この混乱の時代に再統一をもたらしたのが司馬炎でしたが、彼はローマ史に照らせば「ディオクレティアヌス帝」の歴史的役割を担っているということになるでしょう。

そのディオクレティアヌス帝は、統一状態を10年と維持できなかったのですから、もしこのあとも「ローマ史と中国史が一致する」と仮定するなら、司馬炎の興した西晋王朝の統一もまた短いということになります。

果たせる哉(かな)、西晋王朝の統一はわずか20年（280〜300年）で破れ、以降、華南は漢民族による単独政権が維持された（東晋王朝）ものの、華北は五胡十六国の異民族が入り乱れた大混乱の時代に突入、次時代の「南北分裂」時代の先駆けとなったのでした。

ローマは「東西」、中国は「南北」の違いはあれど、本質的な動きは見事に同期(シンクロ)していることがわかります。

》　前時代に発展していた国・地域はことごとく衰微

こうして、地理的には大きく離れていたユーラシア大陸の"西

（＊06）このころ皇帝を自称・僭称した者として曹丕（そうひ）・劉備・孫権（とその裔）が有名ですが、他にも袁術（えんじゅつ）、闕宣（けっせん）、許昌らがいます。

の果て"のローマ帝国と"東の果て"の後漢王朝が、歴史的に見事な同期（シンクロ）を示す中、両国に挟まれた地域でも同様な歴史動向が展開されます。

　もちろん、ローマ・中国とは前時代までの歴史条件がまったく違いますから、ここまでの一致ではありませんが、「前時代に発展していた国・地域はこの時代に入るとともにことごとく衰微し、前時代に燻（くすぶ）っていた国・地域はこの時代に入るとことごとく繁栄する」というこの時代の歴史法則は見事に貫徹されます。

　すなわち、前時代に発展していた**クシャーナ朝・サータヴァーハナ朝**は、共にこの時代に入るや衰微し始め、この時代の終わりとともに滅亡していきます。

》　前時代に燻っていた国・地域はことごとく繁栄

　前時代まで燻（くすぶ）りつづけてきたイランでは、旧時代を支えてきた**パルティア王国**が亡び、代わって建った**ササン朝**が**ゾロアスター教を国教**として急速に発展していきました。

　西方ではローマ帝国を討ち破って時の皇帝を捕虜（＊07）としたばかりか、東方では**クシャーナ朝**を征服して中央アジアまで進出、西アジアに覇を唱えています。

　前時代まで漢王朝に劣勢を強いられてきたモンゴル高原からタリム盆地にかけては、漢の衰滅とともに「**五胡**（＊08）」が抬頭しはじめ、魏晋時代をかけて力を蓄え、西晋が内乱状態（**八王の乱**）

（＊07）260年、**エデッサの戦**にて時の軍人皇帝**ヴァレリアヌス**（位253～260年）を捕虜としました。

（＊08）民族系統不詳（モンゴル系？トルコ系？）の**匈奴**・**鮮卑**（せんび）、匈奴系の**羯**（けつ）、チベット系の**氐**（てい）・**羌**（きょう）。

に陥るや、これに乗じて畿内^(＊09)に侵入、華北に異民族国家が
濫立する「**五胡十六国時代**」に突入し、次時代の南北朝時代の
礎を構築していく原動力となっていったのでした。

》 まだ国造りが定まっていなかった地域は建国

　このように、大国とその周辺諸国は「大国が繁栄期を迎えると
その周辺諸国は衰え、大国が衰亡期に入るとその周辺諸国が隆
盛する」という相反的な動きをすることが多い。

　中国という東アジアの覇権国家の力が衰えていくこの時代に、
これまで国家形成が進んでいなかった日本では統一への動きが
始まります。

　ただ、このころの日本については、『三国志』の「魏志」東夷
倭伝^(＊10)にわずかに伝わるだけで他に記録がなく、詳細につい
てはほとんどわかっていません。

（＊09）日本では京都・大阪・奈良あたりを指す言葉ですが、中国では時の帝都周辺
　　　　（半径約200km以内）を意味します。
（＊10）通称「魏志倭人伝」。

第1幕（400〜600年ごろ）

第12章

分裂から統一へ

＜中世 第1段階＞

この時代の上半期は分裂が極致にいたり、
下半期はふたたび再統一へと向かい、
次時代の「三大文化圏」の条件が整った時代

中世 第1段階の歴史大観
（400～600年ごろ）

　前時代（古代 第9段階）から続いている寒冷期は、5世紀初頭に最寒期を迎えたことで各地で民族移動が起こり、分裂と混乱を強いられたが、その後は温暖化に向かったため、6世紀には各地が一斉に統一に向かった時代。

　5世紀、ヨーロッパでは東から遊牧民**フン族**が侵寇してきたことで**ローマ帝国の東西分裂**を促したものの、6世紀に入ると西欧では**カール大帝**による、東欧では**ユスティニアヌス大帝**による再統一を達成する。

　中国では、遊牧民**五胡**の侵寇が本格化したことで時代は**南北朝時代**に入ったが、6世紀いっぱいまでに**隋の文帝**による統一王朝を生む。

　イラン・インドでは、北から遊牧民**エフタル**が南下して**ササン朝**と**グプタ朝**を大混乱に陥れたものの、6世紀には**ホスロー1世・ヴァルダーナ朝**による再統一を迎えた。

中世 第1段階の歴史展開
（400～600年ごろ）

　前時代から続いていた寒冷化が400年ごろに寒期のピークを迎えました。

　それにより、すでに寒冷期の中でギリギリの生活を強いられ
ていた遊牧民はその生存すら脅（おびや）かされるようになり、彼らは生
き残りを懸け、棲み慣れた故地を棄てて民族移動を起こし始め
ました。

　こうしてユーラシア大陸の深部にいた遊牧民が"水面に拡が
る波紋"のように南縁部（＊01）へと拡がっていくことに。

　こうした彼らの動きは、この時代の上半期（5世紀）はユーラシ
ア大陸南縁部を大混乱に陥らせたものの、下半期（6世紀）には温
暖化とともに落ち着きを取り戻し、早いところではこのころから、
遅くとも次時代（中世 第2段階）までに繁栄期に入っていきます。

》　ローマ帝国、分裂と解体

　当時、ユーラシア大陸深部にいた遊牧民（＊02）のうち、西進し
てヨーロッパに現れた者らは「フン」と呼ばれるようになり、当
時北欧・東欧に拡がっていたゲルマン社会を大混乱に陥れます。

　これにより棲み慣れた土地を逐（お）われたゲルマン人がつぎつぎと
ローマ帝国領内に民族移動を起こしたたため、すでに解体期に
あったローマ帝国はひとたまりもなく崩壊していき、その混乱
の中で東西に"分裂"（＊03）。

（＊01）大陸の南側の海に面した地域一帯。具体的にはヨーロッパ南部～西アジア～
　　　　インド～東南アジア～中国をつなぐ地域。

（＊02）匈奴帝国が東西に分裂したあと、西匈奴はさらに南北に分裂しますが、そのう
　　　　ち北匈奴が西進してきた人々ではないかと言われています。

（＊03）正確には「分裂」ではなく、ディオクレティアヌス帝以降の歴代皇帝が実施し
　　　　てきた「分割統治」なのですが、結果的にこのときの分割統治を最後として二
　　　　度と再統一されることがなかったため、便宜上、最後の分割統治だけは「分割
　　　　統治」と呼ばず「分裂」と表現します。

この東西に分かれた両帝国が辿った歴史は、"兄弟(*04)"でありながら極めて対照的で、"兄(東ローマ帝国)"の方はゲルマンの侵寇を食い止め、その後1000年の歴史を誇ることになりましたが、"弟(西ローマ帝国)"の方はわずか80年ほどで解体し、その故地には七王国(英)・フランク(仏)・西ゴート(西)・オドアケル(伊)・ヴァンダル(突)などのゲルマン系諸小国が割拠する渾沌の時代に突入します。

≫　ローマ帝国、統合と統一

しかし、この時代の下半期(6世紀)に入ると、上半期(5世紀)の分裂・解体の反動から、統合・統一へと向かいます。

この時代の上半期には自国防衛が精一杯というほど衰えていた**東ローマ帝国**でしたが、下半期になって**ユスティニアヌス大帝**が現れるや、解体寸前であった帝国は急速に統一化(*05)が進んで隆盛を誇るようになり、一時は古代ローマ帝国の旧領を恢復するかと思われたほど領土を拡大します。

また西ローマ帝国の故地でも、**フランク王国がいち早く異端から正統派に改宗**したことを皮切りとして、**ブルグンド王国**、**西ゴート王国**、**七王国**、**ランゴバルド王国**とつぎつぎと改宗が進み(*06)、政治的には**フランク王国が西欧の統一化**を進め、宗教的には**カトリック教会で統合**されていきました。

(*04) 古代ローマ帝国を"親"として、東西ローマ帝国は"兄弟"と喩えることもできますし、実際それぞれの初代皇帝は兄弟(東帝が兄アルカディウス、西帝が弟ホノリウス)でした。

(*05) 政治的・法政的・宗教的・学問的、あるゆる分野の統一を推進しました。

(*06) これを「ゲルマン改宗」といいます。

そしてこれが、次時代（中世 第2段階）での**カール大帝**による大統一の前提条件となっていきます。

》　中国、分裂と統一

ローマが「東西分裂」を起こしたのに対し、中国では「**南北朝時代**」に突入し、"東西"と"南北"の違いはあれど、ローマ同様やはり分裂の時代で、両国の歴史は奇妙なほど同期（シンクロ）しています。

前時代の下半期からすでに始まっていた遊牧民の侵寇により華北に生まれた「**五胡十六国**」時代はさらなる混迷を極めていましたが、これは西ローマ故地においてゲルマン系諸小国が割拠していたことを彷彿（ほうふつ）とさせます。

そしてしばらくすると、華北は異民族の**北魏**（北朝）が統一、華南は**宋・斉・梁・陳**（南朝）と王朝は交代したものの漢民族王朝による統一政権が続いたことも、ヨーロッパでは異民族王朝のフランク王国と東ローマ帝国の統一化の動きを想起させます。

ただ、ローマ帝国が再統一されることはついにありませんでした[＊07]が、中国は北朝から現れた「**隋**」が**再統一**を達成した点はローマとは異なります。

》　イランとインドの混乱・解体、そして再統一

そして、中国とローマに挟まれたイランとインドもよく似た歴史を歩みます。

（＊07）ユスティニアヌス大帝が「再統一戦」に乗り出し、地中海を"我らが海"としたものの、再統一には至りませんでした。

中央アジアにいた遊牧民のうち、西に進んだ者たちが「フン」となってヨーロッパを震撼させたことはすでに述べましたが、そのうち南に下った者たちが「白匈奴」と呼ばれ、この時代の上半期（5世紀）イランの**ササン朝**とインドの**グプタ朝**に侵寇していきました。

　両国は遊牧民の侵寇を前にして為す術なく解体していくことになったものの、この時代の下半期（6世紀）に入ると、イランではササン朝が**ホスロー1世**の下に再建されて絶頂期を迎え、インドではグプタ朝に変わって**ヴァルダーナ朝**が再統一を成し遂げていった、その歴史法則もローマや中国と同じ道を辿っていきます。

第2幕（600〜800年ごろ）

三大文化圏の形成

第**13**章

< 中世 第2段階 >

ユーラシア大陸の西にフランク王国、東に唐王朝、
その中ほどにイスラーム帝国が生まれて
「三大文化圏」が形成された時代

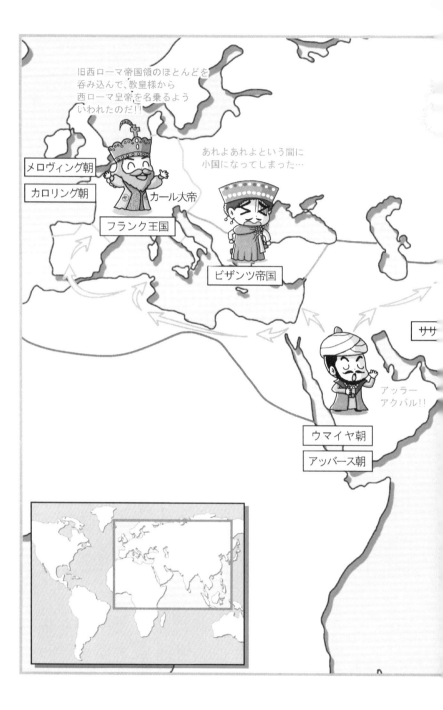

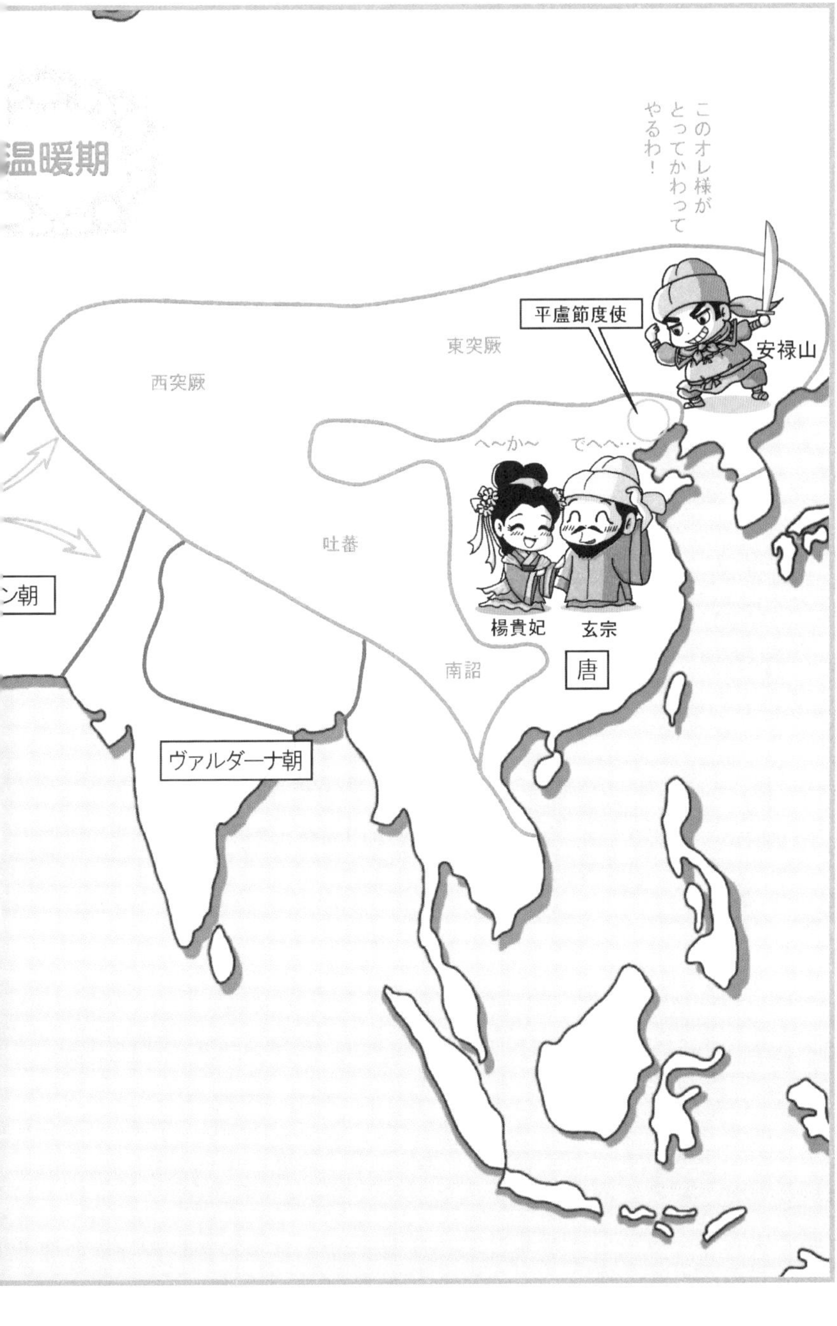
温暖期
このオレ様がとってかわってやるわ！
平盧節度使
安禄山
東突厥
西突厥
へ〜か〜
でへへ…
吐蕃
ン朝
楊貴妃
玄宗
南詔
唐
ヴァルダーナ朝

中世 第2段階の歴史大観

（600〜800年ごろ）

　前時代（中世 第1段階）の末期に急激な寒冷化[イベント1]（550〜600年ごろ）が襲ったが、その後はふたたび温暖化に向かったことで、これを背景として**各地で「大帝国」が生まれる時代**となる。

　ユーラシア大陸の西（西ヨーロッパ）では**フランク王国**が頭角を現し、この時代の末期までに**西ヨーロッパを統一**し、その東（東アジア）では**隋・唐が空前の大帝国**を築きあげる。

　そしてユーラシア大陸の中央（西アジア・インド）では前時代まで影も形もなかった「**イスラーム帝国**」が大統一王朝を築きあげて一大文化圏を形成、以降、これらを合わせた「三大文化圏」が歴史を牽引していくことになる。

中世 第2段階の歴史展開

（600〜800年ごろ）

　数多く存在する「歴史法則」のひとつとして、

■ 歴史法則12 ■
「新時代を担う文明・国家」は
「旧時代を代表する文明・国家」の“辺境”から生まれる。

…というものがあります。

ひとつ中国で例を挙げれば、周代までその中心は中原 ^(*01) でしたが、やがて周が衰えて7つの強国（戦国七雄）が天下を競うようになると、その中で**斉・楚・秦**が天下を争いましたが、それらはいずれも中原から見て"辺境 ^(*02)"でした。

ヨーロッパで例を挙げれば、**アングロサクソン族**が7つの国に分かれて天下を争っていた「**七王国**」の時代、最終的に天下を獲ったのは、中央にあって"覇者"のひとつに数えられるほど強勢を誇った**マーシア王国**ではなく、南西端にあった辺境の小国・**ウェセックス王国**でした。

他にも例を挙げれば枚挙に遑がありませんが、「新時代の担い手」はいつも"辺境"から現れます。

》 ふたたび"オリエント"に光が灯る

そのことを踏まえたうえで、もう一度歴史を大きく振り返ってみますと──

① 原始、"文明の灯"はオリエントから灯り、（先史 金石併用時代）

② しばらく世界はオリエントを中心として回るようになったが、
（古代 第1〜4段階）

③ やがてオリエントの"灯"は急速に萎んでいき、（古代 第5段階）

④ 以降、前時代まで"辺境"にすぎなかった**ローマ・中国**を中心に世界は回りはじめる。 （古代 第6〜9段階）

（＊01）黄河中流域に拡がる平原地帯のこと。

（＊02）いずれの地域も前代（殷）まで、斉のあたりは「夷（東の蛮族）」、楚のあたりは「蛮（南の蛮族）」、秦のあたりは「戎（西の蛮族）」と呼ばれて蔑まれていた辺境の地でした。

⑤ しかしそのローマ・中国も停滞期に入ると、　（中世 第1段階）

⑥ ふたたび旧オリエント^(*03)に光が灯り、世界はヨーロッパ・イスラーム・中国という三大文化圏に分かれて展開することになる。　（中世 第2段階）

　こうして世界の中心は、1つ（オリエント）から始まり、やがて東西2つ（ローマと中国）に分かれ、そしてこの時代から3つ（ヨーロッパ・イスラーム・中国）となり、時代が大きくうねるごとにひとつづつ増えていますが、新しい"灯"はいつも"辺境"から生まれていることがわかります。

　いったん消えかけていたオリエント地方にふたたび灯を灯したのは「イスラーム」でしたが、では具体的に、それはどのよう経過を辿って生まれていったのかを詳しく見ていくことにしましょう。

》　イスラーム勃興の歴史的背景

　前時代、東ヨーロッパでは東ローマ帝国、西アジアではササン朝が遊牧民の侵寇を受けて大混乱に陥ったものの、下半期に入ると、東ローマにユスティニアヌス大帝が、ササン朝にホスロー1世が現れて^(*04)急速に再統一が進んだことはすでに触れましたが、そうした歴史的背景が、この時代にイスラームが勃興する前提条件となりました。

(*03)「オリエント」という呼び方は、時代的には「シュメール時代（前4千年紀）からアケメネス朝ペルシア帝国の滅亡（前4世紀）のころまで」のものなので、ここでは「旧」を付しています。

(*04) ユスティニアヌス大帝が治世527～565年、ホスロー1世が治世531～579年でほぼ同世代。

　東ローマ・サ<ruby>サン<rt></rt></ruby>両国がほぼ同時期に再統一を成し遂げ、国内問題を解決したことで両国が国境を接するシリア地方はその争奪戦の場となり恒常的な戦乱状態に入ったのですが、その<ruby>煽<rt>あお</rt></ruby>りを喰らったのが両国の<ruby>狭間<rt>はざま</rt></ruby>にあったアラビア半島で、両国の抗争に<ruby>翻弄<rt>ほんろう</rt></ruby>され、そのために政治的・経済的・社会的諸問題が発生して悶絶することになります。

> ■ 歴史法則13 ■
> 国内問題を解決した国は、その持て余す力を"外"に向け、それは「対外膨張戦争」という形となる。

　それらの諸問題は旧来の制度・思想・宗教では解決できなかったため、これを解決する手段としての"歴史的役割"を担って生まれたのがイスラームだったのです。

》　イスラーム帝国の隆盛期

　こうして、アラビア半島の片隅[*05]に生まれ、たった4人の<ruby>信者<rt>ムスリム</rt></ruby>[*06]から始まったイスラームでしたが、あれよあれよ、開祖ムハンマド存命中に半島統一を成し遂げたばかりか、彼の死後もその勢いは止まらず、正統カリフ時代[*07]には逆にこれまで彼らを悩ませた東ローマ・ササン両帝国に攻め込むまでに

（*05）アラビア半島のメッカ郊外にあるヒラー山（山というより丘に近い、麓から高さが50ｍ［海抜では280ｍ］ほどの小さな山）の麓にある洞窟の中。

（*06）最初の信者ハディージャ（妻）、2人目の信者アリー（義兄弟）、3人目の信者ザイド（黒人奴隷）、4人目の信者アブー＝バクル（親友）の4人。

（*07）アブー＝バクルからアリーまでの4代にわたり、開祖ムハンマドの直弟子たちに導かれていた時代。

なります。

　すでに前時代（中世 第1段階）からの長い抗争で疲弊していた両国は、信仰に燃える血気盛んなイスラーム軍を前にして為す術なく、ササン朝はあっけなく滅亡（651年）。

　かたや東ローマ帝国は、なんとか滅亡こそ免れたものの、手足（＊08）を捥がれて"東地中海を「我らが海（マーレ・ノストゥルム）」とした世界帝国"から"バルカン・アナトリア両半島の一角を支配するだけの地方政権"へと陥落（＊09）してしまいます。

　やがて開祖（ムハンマド）の直弟子たちが死に絶え、「世襲王朝時代（＊10）」に入ってもその勢いは衰えることはなく、ウマイヤ朝の時代にはマグリブ地方（＊11）を越え、8世紀初頭にはジブラルタル海峡を渡ってイベリア半島の大半を征服したばかりか、同時にビザンツ帝国の帝都（コンスタンティノープル）をも包囲して、ヨーロッパ世界を東西から挟撃し、これを震撼させます。

　のみならず、同じころ中央アジアまで征服して唐王朝に肉薄し、インドにも侵寇して次時代のインドのイスラーム化の足掛かりとしました。

　　》　イスラーム帝国の安定期

　このように、建国（＊12）以来ほとんど負けなしで止（とど）まるところ

（＊08）ここではシリア・パレスティナ・エジプトを指します。

（＊09）したがって、このころを境としてそれ以前の"世界帝国"たる東ローマ帝国と区別して、地方政権に陥落して以降を「ビザンツ帝国」と呼ぶことがあります。

（＊10）661年にウマイヤ朝が成立して以降の時代。

（＊11）北アフリカの西半。現在のモロッコ・アルジェリア・チュニジアのあたり。

（＊12）622年、ムハンマドがメディナにウンマ（イスラーム共同体）を創ったことを以て「建国」と見做されます。

を知らなかったイスラーム帝国^{カリフェイト}でしたが、開祖^{ムハンマド}が亡くなってから100年も経つとイスラーム軍の強さを支えてきた信仰的熱狂も落ち着き、指導部は奢侈^{しゃし}に耽^{ふけ}って保身に走り、王朝は既得権益を独占して腐敗し、領土は膨張の限界に達します。

こうしてウマイヤ朝は外圧によってではなく内から崩壊し、8世紀中頃、**アッバース朝**に王朝交代(*13)します。

膨張戦争を繰り返して限界に至ったウマイヤ朝を受けて、アッバース朝は守勢に転じ、アッバース朝のめぼしい外戦といえば、王朝成立の翌年(751年)に西進してきた唐朝の軍を破った(*14)くらいで、以降はジリ貧(*15)、めだった外征成果は見られなくなります。

その代わり内政に力を入れたことで国内政治は安定し、絶頂期を現出しました。

» カロリング家の隆盛

このようにイスラームが破竹の勢いでヨーロッパを東西から挟撃していたころ、西欧では**フランク王国**が覇を唱えていましたが、内には**メロヴィング王家**の弱体化が著しく、代わって宮宰(*16)の**カロリング家**が抬頭していました。

(*13) 時750年のことで、これを「**アッバース革命**」といいます。

(*14) 節度使の**高仙芝**将軍率いる唐朝軍と**タラス河畔**で戦い、圧勝。
このとき大量に発生した唐朝兵捕虜の中に紙漉き職人がいたため、イスラームに**製紙法**が伝わったことはとみに有名。

(*15) 756年に**後ウマイヤ朝**が、788年に**イドリース朝**が、800年に**アグラブ朝**が(事実上)独立し、アッバース朝はエジプト以西をすべて失っています。

(*16) ラテン語では「**マヨルドムス(家政の長)**」といい、主君を輔佐する役職。昔の日本でいえば関白、中国でいえば丞相に当たります。

イスラーム軍（ウマイヤ朝）がピレネー山脈を越えて攻めてきたのはそんな折で、**宮宰カール＝マルテルがトゥール＝ポワティエ間でこれを撃退**[*17]したことで、カロリング家の権勢はいよいよ高まっていきました。

》　カロリング朝フランク王国の成立

これにより、カロリング家が王家をも凌ぐ権勢を誇るようになると、カール＝マルテルの子**ピピン3世**は、時の**ローマ教皇ザカリアス1世**と結託して政変（クーデタ）を起こし、王朝を簒奪（さんだつ）。

これを「**カロリング革命**」といい、イスラームで起こった王朝交代劇「**アッバース革命**」の翌年のことです。

王朝交代を果たしたフランク王国はさらなる発展をし、ピピン3世の子**カール1世（大帝）**のころにはピレネー山脈まで迫っていたイスラームを少し押し返し、「西ローマ帝国の旧領」をほぼ復活[*18]するまでになりました。

》　西ヨーロッパ文化圏の誕生

当時、ビザンツ皇帝と激しく対立[*19]していたローマ教皇は、カール大帝に率いられたフランク王国の隆盛に目を付け、これを自陣営に抱き込もうと謀（はか）り、800年のクリスマス、時の**教皇**

（＊17）ただし、このときのイスラームが軍を退いたのは「敗走」ではなく「戦略的撤退」だという説もあります。

（＊18）ただし、アンダルス（イスラーム統治下のイベリア半島）とマグリブ（イスラーム時代の北アフリカ西半）を除きます。

（＊19）ビザンツ皇帝レオン3世が「偶像禁止令」を発布（726年）して以来、ローマ教皇とビザンツ皇帝は熾烈な「偶像論争」を繰り広げて対立していました。

レオ3世に招かれてローマに来ていた際にカール大帝に教皇が「西ローマ帝国の帝冠」を授けます。

これにより──
・カトリック教会の頂点に君臨するローマ教皇が
・ゲルマン人の王であるカール大帝に
・ギリシア・ローマ文明の象徴たるローマ帝冠を授けた
── ということで、これが歴史的解釈によって「キリスト教文化」「ゲルマン文化」「ギリシア・ローマ文化」の融合と見做されて、以降これを「西ヨーロッパ文化圏」と呼ぶようになります。

» 隋唐帝国の隆盛

この時代の上半期、イスラーム文化圏は隆盛期でしたが、中国もそうでした。

すでに前時代の末期、**魏晋南北朝**400年の動乱を抑えて久しぶりに隋王朝が天下を統一していましたが、**隋王朝**の天下は30年と保たずに崩壊しました。

洋の東西と古今を問わず、長い分裂・戦乱の時代を経て天下を統一した王朝は短期政権であることが多い[*20]── ということはすでに学んでまいりましたが、隋王朝も例外ではなかったというわけです。

同時に我々は「短期政権の後に立った王朝は長期政権[*21]」ということも学んできました。

─────────────

（＊20）「歴史法則05」（p95）参照。
（＊21）「歴史法則06」（p96）参照。

隋の後を継いだ**唐王朝**が300年の長期政権となったのも、やはり「歴史法則」通りです。

唐王朝は、8世紀中頃までに北は**東突厥**（モンゴル高原）を倒し、西は**西突厥**（タリム盆地）を服属させ、東は**高句麗**（満洲）を討ち滅ぼして東アジア世界に覇を唱えたため、周辺諸国は一斉に唐を模倣するようになりました[*22]。

その結果、中国を中心とした東アジア諸国は、法政に「律令制」、政治理念に「儒学」、宗教は「仏教」、文字は「漢字」を共有する一大文化圏を形成することになります。

これが「東アジア文化圏」であり、すでに触れました「西ヨーロッパ文化圏」「イスラーム文化圏」と併存する時代が生まれました。

≫ 唐王朝、変質による延命

こうして唐は8世紀前半、**玄宗皇帝**（位712～756年）のころに絶頂期に達しますが、しかし「繁栄と腐敗は表裏一体[*23]」だということを我々はすでに学んでまいりました。

名君と謳われ善政を布いた彼も、晩年になるとひとりの女性・**楊貴妃**[*24]に溺れ、政治を私物化し、楊一族の専横を許してしまったため、これに不満を持った節度使・**安禄山**が叛乱を起こしてしまいます。

（＊22）このころの日本が盛んに「遣唐使」を送ったのも、こうした歴史的背景のためです。

（＊23）「歴史法則10」（p121）参照。

（＊24）本名は「楊玉環」。唐の後宮には「夫人」「嬪（ひん）」「世婦」「御妻」という序列がありましたが、「貴妃」というのは夫人のひとりに与えられる位。

これが有名な「**安史の乱**（755〜763年）」です。

　外に対しては敵なしだったのに、繁栄が腐敗を生み、内から崩壊が始まって、8世紀中頃、政変・叛乱（クーデタ）によって体質変化が起こるという点において、この時代の西ヨーロッパ文化圏（メロヴィング朝）やイスラーム文化圏（ウマイヤ朝）と同じ動きをしています。

　もっとも中国の場合は、「王朝交代」という形を取って体質変化が起こったのではなく、王朝はそのまま「制度改革」で乗り切っている点がヨーロッパ・イスラーム両文化圏と違います。

　8世紀中頃以前までの唐王朝は、「すべての農民に均等に田畑を与え、均等に税負担させ、均等に兵役義務を課す」という理念（＊25）の**均田制・租庸調制・府兵制**が三位一体となって、これを**律令制**（システム）で運営するという統治機構がその繁栄を支えてきましたが、安史の乱を前後としてこれらが一斉に崩壊しはじめ、各地に**藩鎮**（＊26）が跋扈（ばっこ）し、大地主が荘園を経営するようになったことで、三位一体の均田制・租庸調制・府兵制が総崩れを起こし、

・「均田制」は大地主が小作人を傭役する「**佃戸制**（でんこ）」へ、

・「租庸調制」は土地資産に応じて地主に課税する「**両税法**」へ、

・「府兵制」は没落農民を銭で雇い入れる「**募兵制**」へ移行し、

　これを支えていた律令制も機能不全を起こし、もはや「唐とは名ばかりの別王朝」と言ってもいいほど統治機構（システム）が変わってしまいました。

（＊25）あくまで「理念（建前）」の話であって、実際にはさまざまなところに"抜け道"が用意されてあり、現実においては「万人均等」というわけではありませんでしたが。

（＊26）安史の乱以降、唐の内地に生まれた節度使を頂点とした半独立の軍事政権。

しかし、そのおかげで唐王朝はあと150年延命することになりました。

　「時代が変われば、王朝はその変化に対応できず衰亡する」という歴史法則[*27]に反して、唐王朝の場合は「時代の変化に対応するため、統治機構を大改革し、新時代に合わせることに成功した」数少ない例外[*28]となったのでした。

》 三大文化圏の奇妙な同期

　このように、ヨーロッパ文化圏では「王国（キングダム）はそのまま、メロヴィング朝からカロリング朝へ王朝交代」することで脱皮に成功したのが8世紀中頃（751年）。

　イスラーム文化圏でも「帝国（カリフェイト）[*29]はそのまま、ウマイヤ朝からアッバース朝へ王朝交代」することで脱皮を図ったのが8世紀中頃。

　そして、東アジア文化圏では「唐王朝はそのまま、抜本的体制改革」することで脱皮を図ったのが8世紀中頃。

　こうして俯瞰してみることで、この3つの文化圏が見事に同期（シンクロ）していることがわかります。

（＊27）「歴史法則03」（p65）参照。

（＊28）他にも、ホスロー1世の時代のササン朝もやはり抜本的体制改革に成功したことで延命しています。

（＊29）「カリフェイト」というのは「カリフを国家元首とする国」という意味。
　　　通常「帝国」と訳しますが、「王国」「カリフ国」と訳すこともあります。

第3幕（800〜1200年ごろ）

第14章

地方国家の分立

＜中世 第3段階＞

前時代までの覇権王朝はことごとく解体し、
その中に地方国家が分立していった時代

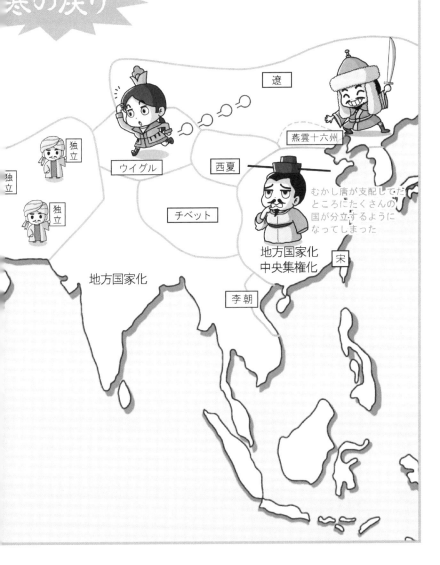

遼

燕雲十六州

独立

独立

独立

ウイグル

西夏

チベット

地方国家化

李朝

地方国家化
中央集権化

宋

むかし唐が支配してた
ところにたくさんの
国が分立するように
なってしまった

中世 第3段階の歴史大観

（800〜1200年ごろ）

　9世紀、突如として到来した"寒の戻り"が、各地で民族移動を誘発させ、前時代（中世 第2段階）までの大帝国を一斉に解体させ、その故地に地方国家が分立していった時代。

　ヨーロッパ文化圏はノルマン人・マジャール人・ムスリムの侵寇により、イスラーム文化圏はアッバース朝が解体したことにより、東アジア文化圏は唐王朝が亡んだことにより、それぞれその故地から地方国家が分立。

　ただし今回の寒冷期は短く、すぐに温暖化に向かったため、この時代の後半は守勢から攻勢に転じ、それはヨーロッパでは「再征服」「十字軍」、イスラームではセルジューク朝による再統一、中国では北宋王朝の経済発展として現れた。

中世 第3段階の歴史展開

（800〜1200年ごろ）

　前時代（中世 第2段階）は、久しぶりに訪れた温暖な気候(＊01)

（＊01）550〜600年ごろの最寒期（イベント1）以降、世界は温暖化し、西暦700〜1400年ごろの約700年間、9世紀の"寒の戻り"を例外として原則として温暖な気候となっています。

に支えられてユーラシア大陸の西（フランク王国）と東（隋・唐王朝）とその中央（ウマイヤ朝・アッバース朝）に大帝国が生まれ、その三大帝国を中心に三大文化圏が形成されていきましたが、9世紀に入ると、突如として襲いかかった急激な"寒の戻り"によって、その繁栄は破られることになります。

≫ ノルマン民族の大移動

前2000年ごろ、北欧に入植してきた印欧系（アーリア）は「ゲルマン人」と呼ばれるようになりましたが、彼らは以降、寒冷期（*02）が襲いかかるたび、南（中欧）へと民族移動を繰り返していました。

すると、同じゲルマン人であっても最後まで故地（北欧）を離れなかった者たちと南（中欧）に移り住んだ者たちでは環境の違いから民族個性に差異が生じはじめたため、やがて中欧へ移住していった者たちを「**南方ゲルマン**（*03）」、最後まで故地を棄てなかった者たちを「**北方ゲルマン**（*04）」と区別して呼ばれるようになっていました。

しかし、ここまで故地に留（とど）まりつづけていたノルマン人も、今回の"寒の戻り（*05）"には耐えきれず、大規模な民族移動を起

（＊02）「前10～前3世紀」と「後3～後7世紀」の寒冷期のこと。
　　　　このうち、前者の最寒期（前800年ごろ）が「イベント2」、後者の最寒期（後550～600年ごろ）が「イベント1」と呼ばれるものです。
（＊03）「南方ゲルマン」はさらに「西方ゲルマン（アングル・サクソン・フランク等）」と「東方ゲルマン（ブルグンド・ヴァンダル・ゴート等）」に分かれます。
（＊04）通常、これを「North German（北方ゲルマン）」を縮めて「Norman（ノルマン）」と呼びます。
（＊05）このときの"寒の戻り"は「ライン川が凍結した（859年）」との記録も残るほど厳しい寒さでした。

こすことになります。

　これが所謂「**ノルマン民族の大移動**」です。

　彼らは北海・バルト海の沿岸地域を荒らし回ったため、彼らの呼び名であった「**ヴァイキング**（“入江の民”の意）」には“海賊”という意味合いが生まれ[＊06]、彼らによってイギリスに**デーン朝・ノルマン朝**、北フランスには**ノルマンディー公国**、ロシアには**ノヴゴロド公国・キエフ公国**、南イタリアには**両シチリア王国**といった地方国家がぞくぞくと建設されていきます。

　前時代に覇を唱えていたフランク王国が解体したのもこの寒冷期に符合し、そこから生まれた３国が現在の**仏・独・伊の源流**となっていました。

》　西ヨーロッパ、封建体制へ移行

　ところで、こたびの“寒の戻り”は、アジア方面からは**マジャール人**の、マグリブ方面からは**ムスリム**の侵攻も誘引したため、このころの西ヨーロッパは北部では**ノルマン人**が、東部では**マジャール人**が、南部では**ムスリム**が同時に暴れ回っている状態になり、これによりアジアとの交易路（トレードルート）が遮断されて、西ヨーロッパは一時的に“陸の孤島”と化してしまいます。

　物流が鎖されたことで貨幣経済が衰え[＊07]、それによって社会経済を動かす“媒体”が「貨幣」から「土地」へと移り[＊08]、

（＊06）したがって、「ヴァイキング」というのはこのときのノルマン系海賊を指す固有名詞で、「パイレーツ」というのは海賊一般を指す普通名詞。

（＊07）貨幣経済に代わって物々交換経済へと後退していくことになります。

（＊08）物流が途絶えれば、お金など持っていても購入する商品が市場から消え失せるため意味なく、必然的に富の源泉たる「土地」が権力基盤となります。

ヨーロッパはこうした歴史的背景を前提とした社会体制である「封建制」に移行していくことになりました。

》 各地に地方政権が生まれる

しかし、今回の寒冷化はあくまで一時的なものでしたから、ほどなく気候が温暖期に戻ると、自然にノルマン人による海賊行為も落ち着き、彼らが本拠地に立ち戻って国造りに入ったことで、**北欧三国**（ノルウェー・スウェーデン・デンマーク）が生まれました。

東欧で暴れていた**マジャール人が定住化してハンガリー**が生まれ、永年にわたって争っていた**七王国も統一されてイギリス**（正確にはイングランド）が生まれます。

さらには、ぞくぞくと建国された独・露・洪 の国家建設に触発されて、この三国に囲まれた**ポーランド**も国家建設に乗り出すなど、現在のヨーロッパの主要国はほとんどこのころの寒冷化による地方政権の濫立という歴史的背景の中で一斉に現れたのでした。

》 歴史の流れに従った"ローマ帝国"

歴史には"流れ"というものがあります。

ここまで見てきましたように、この時代の"流れ"は「覇権帝国がことごとく潰え、地方国家が分立する」というものです。

「川で流されたとき、流れに逆らって泳ごうとすればたちまち体力を奪われて溺れ、流れに身を任せた者は助かる」ように、この"歴史の流れ"に逆らう者は、それがどんな大帝国であろうがひとたまりもなく歴史によって屠られ、この"流れ"に準ずる

者は発展します。

■ 歴史法則１４ ■
歴史の"流れ"に逆らう者は、どんな大帝国であろうが
組織・個人であろうが、例外なく歴史によって屠られ、
これに準ずる者はかならず発展する。

「例外のない規則（ルール）はない」という言葉がありますが、これに限っては例外はありません。

したがって、少し前まで東地中海を"我らが海（マーレ・ノストゥルム）"とする大帝国だったビザンツ帝国（東ローマ帝国）とて例外たり得ません。

ビザンツ帝国は実質的には「地方政権」に零落（おちぶ）れてもなお、「ローマ理想（＊09）」にこだわり、世界帝国としての志・意欲・自負（プライド）を棄て切れず、あくまでも「帝国再建」を掲げていました。

しかし、この時代に入ってすぐに襲ってきた寒冷期を前にして、「帝国再建」どころか「国家存続」すら殆（あや）ういという"現実"を前にして、ついに「ローマ理想」をかなぐり棄てて、地方政権に甘んずるようになります。

それは彼らにとって苦渋の決断だったかもしれませんが、それは"歴史の流れ"に沿うものだったため、すでに衰退期に入っていたビザンツ帝国はこの時代、後世「中興期」と呼ばれるほどの盛り返しを見せることになります。

（＊09）「Pax Romana」のころの古代ローマ帝国を"理想"として、その政治・社会・体制・文明・版図を再現することを最終目標とする考え。

》　歴史の流れに逆らった"神聖ローマ帝国"

これに対して、ビザンツ帝国とは真逆の選択をしたのが**ドイツ**（神聖ローマ帝国）です。

ドイツは「西ローマ帝国の正統なる継承者」を自任して断固として「ローマ理想」を棄てず、地方政権に甘んずることを拒絶し、「帝国再建」を掲げて**イタリア政策**(*10)に執着します。

この「歴史に逆らった罪」により、以降ドイツは衰亡の一途をたどることになります。

》　十字軍遠征

また、ノルマン人・マジャール人・ムスリムらの侵寇が収まれば、彼らによって遮断されていた交易路（トレードルート）も復活するため、鎖されていた**商業も復活**(*11)してきます。

さらに、温暖な気候が農業生産力を底上げしているところに、**三圃制**（さんぽ）(*12)や**重量有輪犂**（じゅうりんすき）(*13)・**馬耕・蹄鉄**などの農具がつぎつぎと発明・導入されたことで農業生産力が爆発的に高まり、西ヨーロッパは急速に「力」を蓄えていきます。

やがて、そうした「力」を持て余すようになると、その「力」

（*10）イタリア半島の併合を目指し、イタリア遠征を繰り返したもの。

（*11）これを歴史用語で「**商業ルネサンス**」といいます。

（*12）それまで農地を「耕作地」と「休耕地」の２つに分けた二圃制だったのを、「秋耕地」「春耕地」「休耕地」の３つに分けて耕作することで農業効率を高めたもの。18世紀になるとさらに改良されて「四圃制（ノーフォーク農法）」になります。

（*13）大型の犂に車輪を付けて牛に曳かせるもの。現在の「耕耘機」に相当し、人力で耕すより深く早く耕すことができ、生産力の向上に貢献しました。

を"外"に向けるようになる[*14]ことを我々はすでに学んできました。

今回のヨーロッパも例外ではありません。

ヨーロッパは前時代（中世 第2段階）を通じて、つねにイスラームに対して劣勢で、彼らに多くの土地を奪われてきましたから、「力」が充実し、これを"外"に向けるとなれば、必然的に「失地恢復！」という標語（スローガン）となって顕（あらわ）れ、その矛先はイスラームに向けられることになります。

それが「十字軍（クルセイド）」です。

十字軍は以降、前後7次[*15]・200年にわたって続くことになりましたが、大きくほぼ12世紀に展開した「前期（1096〜1192年）」と13世紀に展開した「後期（1202〜1270）」に分かれ、この時代の下半期に「前期」、次時代の上半期に「後期」が展開することになります。

》 アッバース朝の解体

イスラーム文化圏もまた、ヨーロッパ同様、「前時代までの大帝国が解体して地方政権が割拠する時代」になります。

イスラームにおいて前時代に覇を唱えた「大帝国」とは、言うまでもなくアッバース朝ですが、人類史上すべての国家を調べあげても十指に入るこの大帝国[*16]ですらもあっけなく解体

（＊14）「歴史法則13」（p161）参照。

（＊15）十字軍の数え方はどこまで含めるのか、どこで分けるのかで諸説ありますが、一般的には1096〜1270年までの「7次」で数えます。

（＊16）どこまでを"領土"と考えるか（植民地・藩属国まで含めるか否か、など）、どこまで分けて考えるか（ロシア・ツァーリ国とロシア帝国をひとつの国と見做すか別の国と考えるか、など）にも拠りますがだいたい歴代10位前後です。

していきます。

　どんな大帝国も"時代の流れ"にはまったく逆らえないということを表しています[17]。

　西はモロッコから東は中央アジアまでを支配するアッバース朝は、西からは**イドリース朝・アグラブ朝・トゥルーン朝**が、東からは**ターヒル朝・サーマン朝・ブワイフ朝**などの地方政権がぞくぞくと独立していった結果、バグダードとその周辺を支配するだけの地方政権のひとつにまで没落していきました。

》　　イスラーム型封建制の普及

　ヨーロッパでは地方政権に分立していく中で西ヨーロッパでは「封建制（フューダリズム）」へと移行していきましたが、やはりイスラームでもこの時代に「封建制（イクター）[18]」へと移行しています。

　もちろん歴史的背景も成立過程も文化も民族も宗教も価値観も何もかもが違いますから、「封建制」といっても多くの相違があり、イクターはさしずめ「イスラーム型封建制」といったところですが、「主君が土地の徴税権を貸与する代わりに家臣に忠誠を誓わせる」という基本理念は同じです。

　初めはブワイフ朝から手探りで始まった「封建制（イクター）」でしたが、やがて**セルジューク朝**下で制度として確立すると、時流に乗ったセルジューク朝はつぎつぎと周辺諸国を併呑していき[19]、瞬く間にアッバース朝旧領（北アフリカを除く）をほとんど再統一

（＊17）「歴史法則14」（p176）参照。

（＊18）イクターの原義は「徴税権」。それまで銀で支払われていた俸給（アター）の代わりに徴税権を貸与したため。

（＊19）「歴史法則09」（p120）参照。

したため、このままふたたび「大帝国」時代に歴史を巻き戻すのか――と思われました。

しかし、やはり"時代の流れ"には逆らえず、セルジューク朝はわずか100年ほどで崩壊し[*20]、結局は地方政権が分立する時代に落ち着きます。

》　中国の地方政権化

さて、「ヨーロッパ文化圏」「イスラーム文化圏」に続く三大文化圏の最後を飾る「東アジア文化圏」でも、この時代はやはり「前時代までの覇権王朝が分解し、地方政権が分立する時代」となるのは同じです。

具体的には、東アジア文化圏において、前時代まで覇を唱えていた**唐王朝**もまた、9世紀に襲いかかってきた寒冷期に急速に衰え、政治は腐敗（はたん）し、経済は破綻（はたん）し、社会は紊乱（びんらん）し、その結果、手足を挽がれて[*21]急速に地方政権化していったどころか、中国本土の箍（たが）まで弛（ゆる）み、それはやがて「**黄巣の乱**（875～884年）」となって帰結します。

黄巣の乱そのものは鎮圧したものの、その後の混乱の中で唐は衰亡していきましたが、中央の統制力が弛緩すれば、地方政

（＊20）国家の平均寿命はおよそ200年。100年だと短期政権、300年だと長期政権と言われ、500年以上続く国家などほとんどなく、1000年以上となると人類史上でも数えるほどしかありません。ふた言目には「五千年の歴史」と声高に叫ぶ中国も300年続いた王朝すらひとつたりともなく、天皇家の2000～1500年前後に遠く及びません。

（＊21）中国には、中央から順に華（帝都周辺）→内臣（直接支配）→外臣（間接支配）→朝貢国（儀礼関係）→夷狄蛮戎（化外）と同心円状に支配が緩くなっており、強勢を誇る王朝は外臣・朝貢国の範囲が広がり、弱体化するとなくなっていきます。ここでいう「手足」とは外臣・朝貢国のこと。

権が蠢動（しゅんどう）するのは世の常。

> ■ 歴史法則15 ■
> 泰平の世は、覇者によって維持され、
> 動乱の世は、覇者の退潮によって始まる。

　東アジア文化圏を創りあげた唐王朝が倒れた途端、たちまち北に「**遼**」、西に「**西夏**」、南西に「**大理**」、南に「**大越**」および「**アンコール朝**」、東に「**高麗**」などの地方政権が濫立（らんりつ）するようになり、これに相反して唐が亡びたあとの中国は、動乱の世「**五代十国**」に突入します。

　70年ほどの動乱を経て、北宋王朝がようやく中国本土の大半を押さえたものの、もはや唐のように周辺諸国に威令を発する力もなく、それどころかついに中国全土を統一することすらできなかった（＊22）東アジアの"地方政権"のひとつにすぎず、自国の安寧に汲々とするのが精一杯という惨状でした。

　政治的・実質的に地方政権に陥落したというだけでなく、「世界帝国としての志・意欲・自負（プライド）」まで失い、周辺諸国に莫大な"みかじめ料"を払って安寧を図る（＊23）といった無様まで晒（さら）し、ついに金朝には華北まで奪われ、「宋帝は金帝の家臣（外臣）」と認めさせられるまでに零落してしまいます。

（＊22）一般的には北宋王朝は「統一王朝」という"建前"で語られますが、実際には全国統一を達成していません。詳しくは本幕コラムにて。

（＊23）遼と「**澶淵（せんえん）の盟**」、西夏と「**慶暦の和**」、金と「**紹興の和**」を結び、彼らに毎年毎年莫大な"みかじめ料（歳幣）"を支払うことで平和をカネで"購入"していました。ちなみに「澶淵の盟」の場合、絹20万匹（反物にして長さ2500km）と銀10万両（3.7t）というとんでもない額で、しかもその後、それぞれ10万ずつ増額させられています。

このように、この時代は三大文化圏すべてが一様に「地方政権化」していったのでした。

》　日本、混迷の“平安”時代へ

　世界は800年ごろから襲いかかった“寒の戻り”によって激動の時代を迎えることになりましたが、我が国もまた例外ではありません。

　日本でもやはりこのころから凶作・飢饉・干魃（かんばつ）・疫病などが相次いでいます。

　じつはこのすこし前、時の天皇（桓武天皇）の実弟・早良親王（さわら）が“無実の罪（＊24）”に問われて、抗議の絶食死（785年）をしたことがあったのですが、タイミング悪くちょうどその直後くらいからつぎつぎと災厄が襲いかかり、そのうえたまたま天皇の近親者の死が相次いだため、人々は「早良親王（さわら）の祟りに違いない（たた）」と噂し合い、桓武天皇もこれを怖れてついに遷都を決意します。

　これが「鳴くよ鶯（うぐいす）」で有名な平安京遷都（794年）です。

　学問的には“呪い”でも“祟り”でもなく「世界規模の寒冷化が襲ってきたため（＊25）」でしたが、そんなことを知りようもない当時の人々が“早良親王の祟り”と考えてしまったのも無理からぬものはあります。

　こうしてこの時代いっぱい、日本は「平安時代」となりまし

（＊24）「藤原種継暗殺事件」に連座したのですが、本当に関与していなかったのかどうかは不明。

（＊25）「疫病」は寒冷化と関係なさそうに感じるかもしれませんが、歴史に名を刻むような大規模な疫病の流行はいつも寒冷期に起こります。
　　　　寒冷気候が細菌・ウイルスにとって繁殖に好条件であること、生活の悪化に伴って不衛生になることなどが理由に挙げられます。

たが、その内情は「平安」とは名ばかりの混迷の時代でした。

じつは"統一王朝"ではない北宋王朝

　教科書をはじめ、どの史書を読んでも「北宋は統一王朝」という"建前"で語られていますが、史実ではありません。

　北宋は「燕雲十六州」を押さえたことが一度もないためです。

　燕雲十六州とは「北京とその周辺」を指し、現代日本でいえば関東平野にあたり、これを外国に占領されているようなもので、これを以て「統一」とはおこがましい。

　にもかかわらず北宋を「統一王朝」といって憚らないのは、中国の『正史』でそういう"扱い"のため、諸本は「右に倣え」とこれに準じているにすぎません。

　では、『正史』はなぜそんな"嘘"を書いたのかと言えば、そうでなければはなはだ都合が悪いためです。

　中国には「天命（神のご命令）」という理念があり、天子（皇帝）の正統性は天命の有無で決まります。

　天命を受けた者は"神の御加護"によってかならず天下統一ができるはずであって、それができないならば、そのこと自体が「天命など下っていないのに"天子"を騙る僭称者」という証明となってしまうため、どうしても「統一した」という体でなければならないためです。

　『正史』とは「正しい歴史」という意味ではなく、単なる「王朝の正統性を訴えるための喧伝材料（プロパガンダ）」にすぎません。

　したがって、こうした"嘘"が『正史』の端々に散りばめられているのは当然なのですが、哀しい哉、そうした『正史』の"嘘"を無批判に記述する史書ばかりなのが現実です。

第4幕（1200〜1500年ごろ）

強権王朝の胎動

第**15**章

< 中世 第4段階 >

三大文化圏はそれぞれ何らかの理由で破局を
迎えて変質していく。そこに小氷期が襲いかかり、
戦争を経て強権王朝が生まれた時代

中世に伝統を持つが、古代の伝統に縛られなかった国

ノルウェー

スウェーデン

ロシア

成立

イギリス

ドイツ

ポーランド

フランス

分立

ポルトガル

イタリア

ビザンツ

スペイン

確立

滅亡

中世に伝統のない国

中世に伝統を持ち
古代の伝統に
縛られた国

古代に伝統を持ち
中世にそれを買こう
とした国

ムワッヒド朝

マムルーク朝

モンゴルの侵略を
我らでくいとめる！

中世 第4段階の歴史大観

（1200〜1500年ごろ）

　この時代の上半期は前時代（中世 第3段階）の影響下にありながらもすでに変質が始まっていたが、この時代の半ば（1350年ごろ）に到来した寒期のため歴史が大きくうねり、下半期は次時代（近世 第1段階）への過渡期となる。

　西欧では封建制（フューダリズム）の崩壊過程の中で身分制国家へと変質、東欧では異民族の外圧による変質から、どちらも大戦（おおいくさ）を経て絶対主義王権へと向かう。

　イスラーム・東アジア文化圏では、この時代の上半期、モンゴルの支配に塗りつぶされたことで変質を余儀なくされたが、下半期には、東アジアに明朝・中央アジアにチムール帝国・西アジアにオスマン帝国などの強権王朝が生まれた。

中世 第4段階の歴史展開

（1200〜1500年ごろ）

　この時代は、中世から近世へ孵化（ふ）しようとする"嘴打（はしうち）（＊01）"の時代となります。

（＊01）卵の中の雛が嘴（くちばし）で殻をつつくこと。

すでに学んできましたように、西ヨーロッパに「封建制」が普及したのは、異民族の侵寇により交易が途絶し、貨幣経済が衰えたことに対応するためでした。

しかし、やがて異民族の侵寇が収まり、折からの温暖な気候[*02]も手伝って**商業が復活**すれば貨幣経済も復活しますので、「貨幣経済が衰えた社会」を前提として生まれた封建制はその"歴史的役割"を終えることになります[*03]。

そして時代が移り変わるとき、いつまでも古い体制・制度・価値観にすがりつく者は、歴史によって抹殺されます[*04]。

時代を乗り越えることができるのは、歴史の流れを敏感に察知し、いち早く古きを脱ぎ捨て、新しい時代を迎えるための対応に成功した者だけです。

》 英仏、身分制国家の成立

水の中では無敵の鯱も、ひとたび陸に打ち上げられればピチピチ跳ねることしかできなくなるように、封建社会の中では権勢を誇った諸侯も、貨幣経済に晒されるとたちまち干上がってしまいます[*05]。

そして、この新たな貨幣経済の中で急速に抬頭してきたのが市民階級です。

（＊02）「中世温暖期（10〜14世紀ごろにかけての温暖期）」のこと。

（＊03）その一方で、温暖化は農業生産力を高め、それは封建制を支えましたから、温暖化は「封建制を壊す要因」になったと同時に「これを支える要因」にもなり、封建制がただちに雲散霧消したというわけではありません。

（＊04）「歴史法則14」（p176）参照。

（＊05）「歴史法則03」（p65）参照。

これまで諸侯を支持基盤として君臨してきた"中世的王権"のままではその権力基盤が揺らいでしまうため、新興市民層を新たな支持基盤として取り込むことで王権の強化を図ろうとするのは当然でしょう。

しかし、だからとって諸侯をスパッと切り捨てることもできず、まずは彼ら地主層(聖職者・諸侯)に新興層(商人・市民^(＊06))を加えた諮問(しもん)機関を作り、これを王権の新しい支持基盤にしようとします。

これが「身分制議会(エステイツ)^(＊07)」です。

これによって運営される国のことを「身分制国家(または等族国家)」といい、封建体制から絶対主義体制に生まれ変わるための過渡期(準備段階)となります。

》　英仏、絶対主義の成立

喩(たと)えるなら、海岸で"砂山(諸侯)"を築いてその上に立っていた人(王)が、打ち寄せる"波(貨幣経済)"のために砂山が崩れ始めているのを見て、慌てて砂山を"石垣(新興市民)"で補強しようとしている様——と言えばわかりやすいでしょうか。

こうして身分制国家に生まれ変わった英仏はやがて「百年戦争(ハンドレッド・イヤーズ・ウォー)」を、イギリスの場合はさらに「バラ戦争」を戦った結果、諸侯の没落が決定的となったことで、この戦争が明けたこ

(＊06)手工業者などの中産者階級。

(＊07)「議会」という名称から"立法機関"だと勘違いしている人が後を絶ちませんが、これはあくまでも"諮問機関"にすぎません。
イギリスでは「模範議会」、フランスでは「三部会」、ドイツでは「帝国議会」、スペイン・ポルトガルでは「コルテス」がこれに当たります。

ろには、王権は大商人を支持基盤とする「**絶対主義国家**」に生まれ変わることになります[*08]。

》　独伊、分断国家へ

しかし、ドイツ（神聖ローマ帝国）は英仏とは違った歴史を歩みます。

前時代（中世 第3段階）、ドイツはいつまでも「ローマ理想」に固執してイタリア政策を続けたことはすでに述べましたが、"歴史の流れ"に逆らった報いは大きく、それがために英仏が王権を強めていったこの時期、ドイツは急速に帝権が弱体化[*09]してしまいます。

相対的に力をつけた諸侯は「**領邦**（テリトリウム）[*10]」化し、一時は皇帝が選出されない「**大空位時代**（インテルレグヌム）」が生まれるほど帝権の弱体化は著しいものとなります。

一方イタリアでは、**東方貿易**（レヴァント）の立役者として大商人が力をつけ、彼らによる寡頭政治が進むと同時に、ドイツの弱体化に乗じてドイツから自立・独立していきました。

こうして"歴史の流れ"に乗ることができなかったドイツとイタリアは、絶対主義へと生まれ変わることができなかったどころか、以降、ともに永く苦しい分断の時代を経験しなければな

（＊08）先の"砂山"の喩えで言うなら、「部分的な石の補強では"砂山"の崩壊が止まらないので、結局、砂山のすべての表面を石で固めた"石垣"になってしまった」状態が「絶対主義」です。

（＊09）「歴史法則14」（p176）参照。

（＊10）中世末から近世のドイツに現れた、実質的に独立国家と変わらぬ諸侯のこと。日本史で喩えるなら、室町幕府（神聖ローマ帝国）末期の戦国大名（領邦）がこれに近い。

らないことになります。

» その他のヨーロッパ諸国の動向

　上記以外のヨーロッパ諸国は、いずれも異民族の侵寇により政治・社会の変質が促されたことで、その対応として大戦を経て絶対主義へと向かいます。

　具体的には、**スペイン・ポルトガル**は8世紀以来、ムスリムの支配に甘んじてきましたが、この時代に入るとカトリック教会の絶頂を背景として「**再征服**」^{レコンキスタ}運動が本格化し、この時代の末にはスペインが成立してこれを駆逐(*11)することに成功するとともに絶対主義を確立しています。

　他には、**ポーランド**は**ドイツ騎士団**(*12)の侵寇を受けたことで海(貿易港)を失って変質し、その対応に**リトアニア大公**と同君連合を結ぶ(ヤギェウォ朝ポーランド王国)ことでこれを奪還、絶対主義を成立させています。

　北欧三国(デンマーク・スウェーデン・ノルウェー)はドイツ商人に商圏を奪われて(*13)変質し、その対応に北欧三国が同君連合(カルマル同盟)を結成して絶対主義を成立させています。

　ロシアはモンゴルの侵寇を受けて、その属国に甘んずること

(*11)「レコンキスタ」の完了の年は1492年で、コロンブスが新大陸を発見した年と同じです。

(*12)第3次十字軍の際につくられた宗教騎士団のひとつ。もともと聖地イェルサレムの警護を担当していたが、ほどなく拠点をドイツに移し、ポーランドに侵寇して「騎士団領」を作った。じつはこれがのちのプロイセン王国の母体のひとつとなっていきます。

(*13)ドイツ人商人組合である「ハンザ同盟」が北海・バルト海の商権を独占しました。

によって変質を余儀なくされましたが、その中から**モスクワ大公**が自立し、モンゴルを駆逐することで絶対主義を成立させました。

このように、一見それぞれの国がバラバラの動きをしているように見えますが、じつは皆、本質的には同じ歴史展開をしていることがわかります。

》 伝統が改革を妨げる

ただ、**ビザンツ帝国**だけは少し様相が違います。

イタリア商人がビザンツ帝国の商圏を奪ったことで変質した──というところまでは他の国々と同じ動きをしましたが、その後は絶対主義に至ることなく次時代を目前にして亡んでしまいました。

その明暗を分けたのはなんだったのでしょうか。

これまで見てきましたように、時代はどんどん移り変わっていくのに、制度や体制は固定化されがちですから、国は新しい時代に我が身を合わせるため制度改革や体制改革に着手しなければなりません。

それ以外に生き残る道はなく、これに成功すれば次時代も生きる権利が与えられ、失敗すれば滅亡する[*14]── 人類のたどってきた興亡の歴史とはただただその法則が貫かれているだけです。

そうであるならば、上から下まで右から左まで国を挙げて改革に当たればよさそうなものですが、実際には、いつの世にも

（＊14）「歴史法則03」（p65）、「歴史法則14」（p176）参照。

どこの国にも 旧 制^{アンシャン・レジーム}にしがみついていなければ生きていけない階層がかならず存在しますから、彼らが命懸けで改革を潰そうとしてきます。

これが所謂 "抵抗勢力^{いわゆる}" です。

改革を潰せば国そのものが消滅し、自分がしがみつこうとしていた 旧 制^{アンシャン・レジーム} 自体が根こそぎなくなってしまうのですから、彼らの努力は自殺行為以外の何物でもないのですが、抵抗勢力は目先の利得に目を奪われてそこのところの理屈がまったく理解できません。

したがって、改革を成功させるためには、この抵抗勢力を倒さなければならないのですが、この抵抗勢力というのはつねにその国の中枢に巣構^すっているため、その国の "伝統" が長ければ長いほど深くまで根が張ってしまっており、改革の障害となります。

> ■ 歴史法則１６ ■
> 組織の伝統が長ければ長いほど体制改革は困難となる。

先に、「５００年を超える王朝は古今稀^{まれ}であり、１０００年を超える王朝は人類史上でも数えるほどしかない」と申しましたが、その最たる理由はこれです。

》 伝統と改革の相関関係を示す実例

この法則性を、この時代を例として、各国の特徴ごとに分類して検証してみましょう。

・中世に伝統のない国（スペイン・ポルトガル）

―― 新しい時代にすんなりと適応し、絶対主義の確立に成功

・中世に伝統は持つものの、古代の伝統に縛られなかった国
　（イギリス・フランス・北欧三国・ポーランド・ロシア）
—— 絶対主義の確立には至らなかったものの、成立に成功
・中世に伝統を持ち、古代の伝統に縛られた国（ドイツ・イタリア）
—— 絶対主義を成立させることすらできず分断国家に零落
・古代に伝統を持ち、中世にそれを貫こうとした国（ビザンツ）
—— 分断されたのち、それだけに止まらず滅亡

　こうして全体を俯瞰し、その中から歴史法則を帰納してみたとき、モノの見事に「伝統が短ければ改革に成功し、長くなればなるほど改革が滞る」という歴史法則が完全に貫かれていることがわかります。

≫　モンゴル帝国、ユーラシア大陸席捲

　7世紀ごろから始まった温暖化は、900年ごろに一時的な"寒の戻り"が襲ったもののすぐに温暖な気候に立ち戻り、永らく「三大文化圏」を支えてきました[*15]。

　モンゴル高原でもその恩恵に与り、この時代は豊かな草原が拡がって、ここに棲むモンゴル人の人口を増やしてきました。

　ところが12世紀末ごろ（1180〜90年ごろ）、突如としてモンゴル高原に干魃が襲いかかります。

　ノルマン民族の大移動のところでも触れましたが、「いったん人口が膨れあがったところに気候変動が襲いかかる」というのが民族にとっていちばん打撃が大きい。

（＊15）これを逆の視点から見れば、この温暖期の終焉が「三大文化圏時代」に破局をもたらすということを類推するのは難しくないでしょう。

そのため、必然的に民族移動も大規模となり激しさを増します。

　こうして生まれたのが、13世紀、ユーラシア大陸を席捲することになる「モンゴル帝国(*16)」です。

　チンギス汗が大人物でなかったとは言いませんが、彼を「チンギス汗」たらしめたものはこうした気候変動であり、サルゴン2世然り、アレクサンドロス然り、カエサル然り、何人たりともこうした"歴史の流れ"の後押しなくして大帝国を築きあげることはできません。

》　"嵐"が吹き荒れたあと"冬"が来る

　当時、アジア大陸の南縁部はその東部が東アジア文化圏、西部がイスラーム文化圏でしたが、モンゴル帝国は一時その両文化圏のほとんどを呑み込み、それどころかヨーロッパ文化圏にも喰い込む勢いでした。

　しかし我々は、短期間のうちに拡大した組織は短期間のうちに崩壊することを学んできました(*17)。

　このときのモンゴルの勢いもほんの一時。

　チンギス汗が即位(1206年)してからわずか半世紀ほどで早くも元朝と四汗国(*18)に分裂(13世紀中ごろ)し、それも100年ほ

(*16)我々の概念で「国」に近い言葉はモンゴル語では「ウルス」ですが、「ウルス」というのは遊牧社会特有の社会組織であって我々の「国」とは違う概念であるため、「国(帝国)」と訳すべきではないとの意見もあります。

(*17)「歴史法則07」(p111)参照。

(*18)オゴタイ汗国(オゴタイ・ウルス)、チャガタイ汗国(チャガタイ・ウルス)、キプチャク汗国(ジョチ・ウルス)、イル汗国(フラグ・ウルス)。「汗国」ではなく「ウルス」と呼ぶべきという意見もあります。

どで解体（14世紀中ごろ）していくことになります。

　その解体の原因の一端は、ちょうどこのころから始まった「小氷期^(＊19)」と無縁ではないでしょう。

　13世紀に猛威を揮った"嵐（モンゴル）"は、14世紀中ごろに到来した"冬（小氷期）"とともに収まったというわけです。

》　"冬"に生まれた子は"冬"に強い

　モンゴルの"嵐"が過ぎ去ったあとは、各地で帝国（ウルス）以前の民族による国が再建されていきました。

　中国には**明朝**（1368年）、朝鮮半島には**李朝**（1392年）、中央アジアには**チムール帝国**（1369年）が生まれ、西アジアには**オスマン帝国**（1405年）が再興^(＊20)し、ロシアでは**モスクワ大公国**（1480年）が独立を達成。

　これらの王朝は小氷期の中で生まれた国であるため、寒冷な環境に我が身を合わせて国造りを行っており、小氷期の中にあってそれぞれ繁栄期に入っていくことになります。

（＊19）14世紀半ばから19世紀半ばまでの約500年間にわたって続いた寒冷期。特に1600年ごろが最寒期で、これを「イベント０」と呼びます。

（＊20）オスマン帝国が生まれたのは1299年ごろですが、チムール帝国に敗れて（アンカラの戦）いったん滅亡。このころに再興しました。

第1幕（1500〜1600年ごろ）

第16章

絶対主義時代（前期）

＜近世 第1段階＞

小氷期に対応するため、ヨーロッパは絶対主義の
確立に尽力し、中国は停滞期に突入するのを
尻目に、イスラームは極盛期に入る

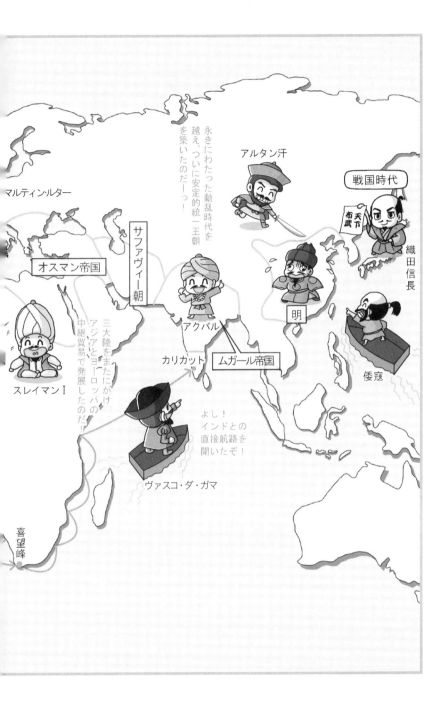

近世 第1段階の歴史大観

（1500〜1600年ごろ）

　この時代は、ヨーロッパでは「絶対主義時代 前期」に相当し、いち早く絶対主義を確立したスペインとポルトガルは「大航海時代」を生み出して、Ａ Ａ 圏（アジア アフリカ）との接触が開始される。

　前時代（中世 第4段階）までに絶対主義を成立させることができなかったドイツとイタリアに意識改革運動「復古運動」（ルネサンス）「宗教改革」（レフォルマチオン）が起こり、すでに絶対主義を成立させていた旧教国（カトリック）には宗教騒乱が勃発し、その解決に成功した国は絶対主義を確立し、失敗した国は衰亡していく。

　したがって、**ロシアはギリシア正教**であったが故に宗教騒乱が起こらず、絶対主義の確立に出遅れる。

　ヨーロッパの"挑戦"を受けて立つことになったＡ Ａ 圏（アジア アフリカ）は、この時代の西アジアは**オスマン帝国**、南アジアは**ムガール帝国**の隆盛期に当たったため彼らの侵寇を受けなかったが、東アジアの**明朝**はすでに絶頂期を越え、動揺期に符合していた。

近世 第1段階の歴史展開

（1500〜1600年ごろ）

　この時代から「近世」の幕が開き、以降「世界史的世界」「世界の一本化」などと言われる時代となり、今までそれぞればら

ばらに展開してきた三大文化圏がこれからは密接な関係を以て動くようになります。

その契機となったのが、絶対主義を確立したスペイン・ポルトガルが大洋へと舵を切った「**大航海時代**」の幕開けでした[*01]。

》　スペイン・ポルトガル、大航海時代へ

前時代（中世 第4段階）の末期にどこよりも早く絶対主義を確立させたスペイン・ポルトガルは、旧来のイスラーム・イタリア商人を挟んだ間接的な**東方貿易**（レヴァント）に不満を持ち、その持て余す力を以てインド・南海・中国との直接交易を試みます。

まずポルトガルが「**アフリカ廻り航路**」に先鞭をつけ、出遅れたスペインが「**西廻り航路**」でインドを目指しましたが、それにより図らずも**新大陸**（アメリカ）を発見することになり、発展性こそ乏しいものの、アメリカ大陸のながらく平和であった歴史もここに終止符を打ち、ここからは劇的に動きはじめることになります。

新大陸を発見したスペイン人は、ここで掠奪・殺戮・虐殺の限りを尽くし、莫大な富を手に入れて発展したものの、のちに"**黒伝説**"（レジェンダ・ネグラ）と呼ばれるようになる凄惨な大虐殺[*02]を実行したために現地の労働力（インディアン）の人口を激減させ[*03]、さら

（＊01）「歴史法則13」（p161）参照。

（＊02）その殺戮と虐殺の具体事例については、神父ラス＝カサスの『**インディアスの破壊についての簡潔な報告**』に詳しい。

（＊03）原住民（インディアン）の数が激減すれば、絶対的に労働力が不足して自らの首を絞める結果となるのに、彼らは虐殺をやめることはできず、労働力不足にはアフリカから黒人奴隷を輸入することで対処しました。現在、アメリカ大陸に住むアフリカ系黒人の多くは、このとき強制的に連れてこられた奴隷の末裔です。

に極端な掠奪は現地経済を疲弊させてしまったため、こうした無理を押したやり方（重金主義）はほどなく限界に達し、ほんの100年ほどで凋落に転じることになりました。

» イタリア発、ルネサンス

スペイン・ポルトガルとは対照的に、絶対主義を成立させることができず、分断国家となって悶絶していたイタリア・ドイツでは、それまで絶対的価値規準であったキリスト教に対して疑問を呈する意識改革が起こります。

中世ヨーロッパにおいては、キリスト教こそがすべての価値基準の根本にあり、冠婚葬祭も教育も絵画も彫刻も文学も思想も学問も建築も、朝起きてから夜寝るまで、この世に生まれ落ちてから墓に入るまで人間生活のすべてがキリスト教一色でした。

中世ヨーロッパは「キリスト教時代」と言ってもよいくらいですが、キリスト教がそれほどまでに浸透したということは、言い換えれば、キリスト教の価値観を封建体制の特性とぴったり適合させることに成功したからだとも言えます（＊04）。

しかし世はつねに移ろいゆくもの。

時代が中世から近世へと移り変わっていけば、旧時代（中世）にその身を合わせて発展してきた教会組織は、新時代（近世）と合わなくなって、その支配体制が揺らいでいくのは当然と言えます（＊05）。

今まで空気のように当たり前だった封建体制が何もかもうま

（＊04）「歴史法則09」（p120）参照。
（＊05）「歴史法則03」（p65）参照。

くいかなくって音を立てて崩れていく時代の中で、これに寄り添って存在していた「聖書的世界観」にも疑念が生まれ、それが「神一辺倒^(＊06)」だったことへの反動から「人間」の存在価値を見直す思想として「人文主義<ruby>人文主義<rt>ヒューマニズム</rt></ruby>」が生まれてきます。

さらに、教会はキリスト教が存在しなかった「古代」を徹底して蔑<ruby>蔑<rt>さげ</rt></ruby>み、無価値なものとして全否定していましたから、その中世的価値観を否定する立場から古典古代を尊重する動きへと発展、それが「復古運動<ruby>復古運動<rt>ルネサンス</rt></ruby>」となります。

それは中世末にキリスト教の総本山イタリアから起こり、近世以降、全ヨーロッパに波及していきました。

》　ドイツ発、宗教改革運動

しかし、たとえ“キリスト教への疑念”が湧いたとしても、その総本山であり、教皇の睨<ruby>睨<rt>にら</rt></ruby>みも利くイタリアではこれが限界だったでしょう。

しかし、アルプス山脈を越え、南ドイツの山岳・森<ruby>山岳・森<rt>アルプ　ヴァルト</rt></ruby>を突き抜けた北ドイツでは教皇の力も弱まるため、もう一歩進んで「宗教改革<ruby>宗教改革<rt>レフォルマチオン</rt></ruby>」という形を取ることになります。

それでも「キリスト教そのものを否定」するのではなく、教会の聖書解釈や腐敗^(＊07)を批判するもので、これが全ドイツを巻き込む一大宗教騒乱(1522〜55年)^(＊08)へと発展することに

(＊06)聖書は、神を讃美する言葉が散りばめられていると同時に、人間の存在価値を全否定する言葉(塵芥(ちりあくた)、ウジ虫、虫ケラなど)で満ちあふれています。

(＊07)教皇の無謬性・絶対性の否定、贖宥状(しょくゆうじょう)の否定、教会の存在否定など。

(＊08)1522年の帝国騎士の乱から始まり、再洗礼派の乱、ドイツ農民戦争、シュマ

なりました。

　たったひとりの大学教授 M .ルターが教会の門の前に貼っ
たたった一枚の紙切れ^(＊09)がこれほどの波乱を巻き起こすの
ですから、彼が声を上げる前から水面下で教会に対する不満が
鬱積していたことが窺い知れます。

　30年以上にもわたる騒乱を経て、ようやく1555年の**アウグ
スブルクの宗教和議**で一応の終結が成ったものの、これはお互
いに禍根を残す玉虫色の決着だったため、次時代にもうひと波
乱起こすことになります。

》　西欧、絶対主義を確立

　前時代（中世 第4段階）までに絶対主義を成立させていた英・
仏・丁・典・波・露は、このまま一気に「確立」へと向
かって動く時代となります。

　「成立から確立」へと駒を進めるためには、どうしてももう
「ひと波乱」起こさなければなりません。

　そのために王権が利用したのがドイツで巻き起こっていた宗
教改革運動でした。

　絶対王権が確立できないのは、いまだ王権に逆らいうる大諸
侯が残っているからです。

　中世の中で生まれ、中世の中で権勢を誇った彼らは、当然、

　　　ルカルデン戦争を経て、1555年のアウグスブルクの宗教和議まで。
（＊09）「**95ヶ条の論題**」のこと。
　　　実際には、これによって宗教改革が始まってしまいましたが、M.ルター本人
　　　はそうした騒乱を望まず、学者間の討論にしようとしただけでしたので、敢え
　　　て庶民に読めないように「ラテン語」で書かれていました。

同じく中世に深く根を張っていた旧教（カトリック）と強い共生関係にありましたから、敢えて新教派を国内に導入してやることで騒乱を招き、"漁夫の利"を得ようとしたわけです。

イギリスでは、**ヘンリー8世**による**首長令**発布（1534年）から始まり、**メアリ1世**による旧教（カトリック）巻き返しを経て、**エリザベス1世**が**統一令**を発布（1559年）して「**国教会**（アングリカンチャーチ）」を確立させ、最後にスペインの干渉を断つ（＊10）ことで絶対主義の確立に成功しています。

フランスでは、**シャルル9世**の母后**カトリーヌ＝ド＝メディシス**が1562年に発した「**サンジェルマンの布告**」を皮切りに、1572年の「**聖バルテルミの虐殺**（サン）」、1585〜89年の「**三アンリ**（＊11）**の戦**」を経て、1598年に「**ナントの勅令**」で**ユグノー戦争**を決着させたことで絶対主義を確立しています。

》　北欧・東欧の絶対主義、成就と挫折

デンマークとスウェーデンは、英仏と同じようにこの時代いっぱいかけて宗教騒乱を解決し、絶対主義を確立していきましたが、ポーランドだけは違う道をたどることになります。

ポーランドもまた宗教騒乱を促しましたが、他の国と違ってその解決に失敗してしまったため、絶対主義を確立できなかったどころか、以降、衰亡の一途（＊12）をたどることになりました。

（＊10）1588年の「**アルマダ海戦**」のこと。

（＊11）ヴァロア王家のアンリ3世、旧教派のギーズ公アンリ、新教派のブルボン公アンリの3人を「三アンリ」と呼びました。

（＊12）このまま18世紀末には「ポーランド分割」で滅亡し、以降、滅亡と復活を繰り返す悲惨な歴史を歩むことになります。

これに対してロシアはまた別の道をたどります。

まず宗教改革が敵視したのは旧教（カトリック）に対してであって、正教（オーソドックス）に対してではないため、ロシアには宗教改革（レフォルマチオン）は起こりようもありません。

したがってこの時代のロシアは、宗教改革（レフォルマチオン）以外の方法で絶対主義を確立せねばなりません。

そこで、時のモスクワ大公イヴァン４世は、君主号を「大公」から「王（ツァーリ）（＊13）」に換え、「雷帝（グローズヌイ）」と渾名（あだな）されるほどの徹底的な恐怖政治を布（し）くことで絶対主義確立に尽力しますが、それでもこの時代には確立に至らず、次時代（近世 第２段階）に持ち越されることになります。

》 オスマン帝国、極盛期

こうして、近世に入って「大航海時代」を迎えつつも、ヨーロッパ諸国がまだ国内問題の解決（絶対主義の確立）を引きずって悶絶していたころ、この「大航海時代」と接触しつつあったイスラーム世界は、東地中海沿岸ではスレイマン大帝のオスマン帝国が、西アジアではアッバース１世のサファヴィー朝が、インドではアクバル大帝のムガール帝国が絶頂期を迎えていました。

この三大帝国のうち、ヨーロッパ勢にとって直接的に脅威だったのがオスマン帝国で、この時代の初頭にはマムルーク朝を

（＊13）ロシアの君主号は、「大公」から始まって「ツァーリ（1547年〜）」、「インペラトール（1721年〜）」と変遷していますが、ツァーリとインペラトールを区別せず「帝国」という場合と、ツァーリ時代を「王国（またはツァーリ国）」として区別する場合とがあります。

亡ぼして旧東ローマ帝国領を復活し、東方貿易^{レヴァント}の独占状態を形成し、さらにはバルカン諸国を次々と併呑していき、一時はウィーンを包囲^(＊14)するほどになります。

これに対してヨーロッパも指を銜えて^{くわ}見ていたわけではなく、1538年、当時「**スペイン動けば世界が震える**」と謳われたスペインを筆頭に、ヴェネツィア・ジェノヴァ・教皇国などが束となって「**プレヴェザ海戦**」に挑んだものの惨敗。

そこで、スレイマン大帝亡き（1566年）あと再戦に臨んだところ、1571年の**レパント海戦**で勝利して一矢報いましたが、結局は地力で勝るオスマン帝国、敗戦後わずか半年でアッという間に戦前以上の艦隊を最新鋭艦で揃えて再建し、これを以て^{もっ}戦後も地中海の制海権を維持しつづけ、オスマン帝国の勢いはビクともしませんでした^(＊15)。

》 ムガール帝国、絶頂期

インドでは、前時代（中世 第4段階）まで永らく短期政権が興亡する混迷の時代^(＊16)にありましたが、この時代に入るや**ムガール帝国**が現れてインドに安定的統一王朝を築くとともに、あたかもオスマン帝国と歩調を合わせるが如く絶頂期に入ります。

そのため、このころ盛んにインドにやってくるようになっていたヨーロッパもおいそれと手が出せず、この時代はあくまで

（＊14）1529年の「第1次ウィーン包囲」。

（＊15）「レパント海戦の敗戦を以てオスマン帝国の衰退が始まった」と説明している本が散見されますが誤りです。

（＊16）**奴隷王朝・ハルジー朝・トゥグルク朝・サイイド朝・ロディー朝**といった短期政権。これを総称して「**デリー＝スルタン朝**」といいます。

貿易上の付き合いをするに留まることになります。

》　サファヴィー朝、苦しみながらも絶頂期へ

大国に隣接する国というのは、大国の力に抑え込まれ、その勢いに呑まれ、なかなか発展しにくいもの。

西にオスマン帝国、東にムガール帝国の二大帝国に挟まれ、南からはポルトガルに**ホルムズ**を奪われていた**サファヴィー朝**もまたそのひとつでした。

とくに西に隣接するオスマン帝国の外圧は厳しく、サファヴィー朝はメソポタミアを奪われたどころか、**帝都タブリーズ**を棄てて何度も後退(*17)しなければならないほど追い込まれています。

しかしすでに見てきましたように、さしものオスマン帝国もヨーロッパ勢との抗争が激しくなる中で、サファヴィー朝を相手にする余裕もなくなり、またスレイマン大帝が亡くなったあとはオスマン帝国に愚帝が相次いだことで(*18)、この時代の末期にはついに守勢に転じます。

こうして、オスマン帝国からの外圧が減退したタイミングで即位したのがサファヴィー朝 **第5代アッバース1世**です。

彼は帝都を**ガズヴィーンからイスファハンに遷都**(1597年)して、「**イスファハンは世界の半分**(*19)」と謳われるほどの繁栄に

(*17) オスマン帝国に攻め立てられるたびに帝都タブリーズを放棄してガズヴィーンまで後退し、ついには遷都してしまったほど。

(*18) スレイマン大帝の次が「泥酔王」と揶揄されたセリム2世(第11代)。
さらにその次が「無能王」と揶揄されたムラート3世(第12代)。

(*19) しかしながら、イスファハンの当時の人口は40万ほどで、大都市には違いありませんが、当時の世界の大都市(北京100万、コンスタンティノープル70万、江戸70万、アグラ50万)に比べればかなり見劣りするもので、世界の

導き、その勢いのままオスマン帝国に攻め込んで失地を奪還し、ホルムズからポルトガル勢力を駆逐（1622年）して、絶頂期を現出しています。

》 明朝の黄昏（たそがれ）

このように、この時代のイスラーム文化圏は絶頂期にありましたが、同時代の東アジア文化圏は前時代の絶頂期を越えて停滞期に入っていました。

内には里甲制[20]が行き詰まりに逢着しているときに、外には北から韃靼（タタール）のアルタン汗が侵寇し、南から倭寇[21]が暴れて、所謂「北虜南倭」（いわゆる）の危機に陥っていたのに、地球の裏側ではこのタイミングで「大航海時代」に突入したため、ポルトガルが来朝して開港を迫ります。

こうした外圧に耐えきれなくなった明朝はついに海禁[22]を緩和して妥協を図るようになりました。

この時代の末期に神宗万暦帝が即位すると、破綻状態（はたん）の財政を改善するべく張居正（ジャンジージャン）が「一条鞭法[23]」の普及に尽力するなど数々の改革を断行、一時盛り返しましたが、やはり何人たり（なんぴと）とも"歴史の流れ"には逆らい得ず、次時代に入るや一気に崩壊に向かうことになります。

「半分」どころか「トップ10」にすら入りません。

[20] 明朝における村落の統治制度。

[21] 倭寇は15世紀中ごろの前期と、16世紀中ごろの後期があり、このときのものは「後期」に当たり、「倭寇」といっても中身はほとんど中国人でした。

[22] 領民による私的な交易を禁止したもの。

[23] 明末清初に実施された税制。地税（土地税）と丁税（人頭税）を銀で一括納税させるもの。

» 戦国時代を迎える日本

　このように、この時代は「小氷期」の到来によって地球規模で混乱が続きました。

　欧州がヨーロッパ半島^{（＊24）}全域を焦土と化す宗教騒乱に苦悩し、西アジアではチムール帝国崩壊のあとを受けてサファヴィー朝が生まれていましたが、建国したばかりだというのに帝都を何度も棄てなければならないほど苦境に陥り、インドではムガール帝国が現れてこの時代の下半期に絶頂期を迎えたとはいえ、上半期までは建国・一旦滅亡・再建を繰り返して悶絶しています。

　中国でも明朝が北虜南倭に苛まれており、この時代に終始勢い盛んだったのは、アジアとヨーロッパの狭間にあって交易で栄えたオスマン帝国くらいのもので、日本もまたご多分に漏れず、この時代いっぱいかけて「戦国時代」という先の見えない混迷の中にありました。

（＊24）「水域に隔てられていないひとつの大陸を２つに分ける」というのは地理学的見地から不自然であり、学問的・理性的立場から考えれば、ヨーロッパはユーラシア大陸から突き出た「半島」と呼ばれるべき存在です。
　　　　にもかかわらず、そうした客観的学識をねじ曲げて「ヨーロッパ大陸」という呼び方が一般化しているのは、ひとえにヨーロッパ人が自分たちの住む地が「半島」だと思いたくないという、感情論から来ています。

第2幕（1600〜1660年ごろ）

17世紀の危機

第**17**章

＜近世 第2段階＞

1600年ごろに到来した急激な寒期が
時代を危機に陥れ、ヨーロッパは革命と戦乱に
もがき、アジアは一斉に衰退期に入る

近世 第2段階の歴史大観
（1600〜1660年ごろ）

　この時代は「**17世紀の危機**」と呼ばれ、前時代（近世 第1段階）まで"我が世の春"を謳歌していた**スペイン・ポルトガル**は衰微の一途をたどり、その他の各国は革命・戦争に明け暮れることになる。具体的には——

　ドイツでは「**三十年戦争**」が、**北欧**では「**バルト海争奪戦**」が長引いて国土は荒廃、共倒れの様相を呈し、**イギリスでは名誉革命が起きて絶対王権が倒れてしまった**のとは対照的に、**フランスは逆に絶対王権を強固なものとすることで事態の打開を目指す。**

　イスラーム世界も前時代に覇を唱えた**オスマン・ムガール両帝国が歩調を合わせるようにして停滞期に入り、その間に挟まれたサファヴィー朝も両国を追うように停滞期に入り、**さらに**中国も明末清初の混迷期**となった。

近世 第2段階の歴史展開
（1600〜1660年ごろ）

　中世末（1350年ごろ）から始まった「**小氷期**」はそれ以前の旧制度をのきなみ破壊し、その対応策としてヨーロッパ諸国は絶対主義に走り、前時代までにぞくぞくとこれを確立していきま

した。

　そこに、1600〜50年ごろにさらなる厳しい冷え込み[*01]が襲いかかったことで、各地で凶作が続き、慢性的な食糧不足から戦乱・疫病・革命が相次ぐようになり、「17世紀の危機」と呼ばれる暗い時代が生み落とされます。

　各国は事態打開のための対応に迫られますが、その対応の取り方によって各国の歴史は大きく変わっていくことになります。

　》　スペイン・ポルトガルの黄昏

　近世の開幕とともにどこよりも早く絶対主義を確立し、「大航海時代」を切り拓いて、"スペインの領海に日没なし"と謳われたスペインは、前時代の末（1581年）にはポルトガルを併呑するまでになりましたが、殺戮と掠奪に支えられた繁栄は長く続かず、この"最寒期"を契機として、衰微の一途をたどり、現在に至るまで歴史の表舞台に立つことはなくなります。

　》　ドイツ三十年戦争

　ドイツでは、前時代（近世 第1段階）に起きた宗教騒乱の問題解決を「アウグスブルクの宗教和議（1555年）」で先送り[*02]した、その"ツケ"を"最寒期"の到来とともに高い利子を付けて支払わされることになります。

（＊01）これを「イベント0」といいます。

（＊02）解決すべき問題というものは、先送りすればするほど問題は深刻となる一方、逃げ道はひとつずつ塞がれ、八方塞がりとなったときには致命的打撃を受けることになるものです。

目の前の問題から目を背けた結果、燻（くすぶ）りつづけた不満は時とともに帝国に蔓延していったため、1618年にプラハで起こった小さな事件[＊03]がみるみる大事になり、帝国全土を巻き込む大乱に発展していったのです。

　それどころか、"最寒期（イベント0）"の到来を前にして事態の打開を模索していた周辺諸国がここぞとばかりドイツに軍事介入してきたため、全欧を巻き込んだ大戦争に発展してしまいます。

　それが「三十年戦争」です。

　この戦争で「ドイツの近代化は100年遅れた」と言われるほど国土は荒廃し、人口は一気に1/3にまで落ち込み、1648年、ようやく条約（ウェストファリア条約）が締結されたものの、ドイツ（神聖ローマ帝国）は実質的に滅亡して名目だけの存在となり[＊04]、分断国家は決定的となります。

》　同時期に叛乱が起こる英仏

　これに対して英仏は、"最寒期（イベント0）"到来による国難を絶対主義を背景とした植民地獲得（英）や戦争介入（仏）など、外への発展で乗り切ろうとします[＊05]。

　しかし今回の最寒期（イベント0）に伴う混迷は、それを以（もっ）てしても吸収しきれず、やがて国民の不満は絶対王権へと向かい、その怒りがこの時代の末期（1640年代）に爆発してしまいます。

（＊03）プラハ窓外放出事件。神聖ローマ皇帝にしてボヘミア王の側近（国王顧問）を、プロテスタントの迫害に怒り狂った人々が城の窓から放り投げた事件。

（＊04）そのため、このときのウェストファリア条約は「神聖ローマ帝国の死亡証書」とも言われます。

（＊05）「歴史法則04」（p94）、「歴史法則13」（p161）参照。

それこそが、イギリスでは史上初の 革 命 [レヴォリューション] （＊06）「清教徒革[ピューリタン]命（1642〜49年）」であり、フランスでは貴族叛乱「フロンドの乱（1648年）」です（＊07）。

　このように、この時代の英仏は「前時代までに絶対主義を確立」し、国内問題の解決を“外（植民地獲得・対外戦争）”に求めたものの、どちらも“絶対王権への叛乱”に帰結する──と足並み揃えた歴史を歩みましたが、ここから先の両国の歴史は大きく分かれていくことになります。

》　叛乱鎮圧に成功したフランスのたどった道

　その転 換 点 [ターニングポイント]となったのは、その“王権に対する叛乱”の鎮圧に成功したか、失敗したか、です。

　フロンドの乱の鎮圧に成功したフランスでは、それにより国内において王権に逆らい得る勢力がいなくなり、次時代（近世 第3段階）で絶対王権の絶頂期を現出する足掛かりとなりました。

》　叛乱鎮圧に失敗したイギリスのたどった道

　これに対し、イギリスは叛乱鎮圧に失敗したどころか、それが叛乱に収まらずに 革 命 [レヴォリューション]化してしまい、王権そのものが倒れてしまいます。

　その首謀者 Ｏ．クロムウェル[オリヴァ]は絶対王権を打倒したあと、王

（＊06）この革命が起こった時点ではまだ「Revolution」という言葉も概念もありませんでした。この言葉が初めて使用されたのは「名誉革命」のとき。

（＊07）このように、歴史を大局的に見ることでこの２つの王権に対する叛乱が同時期に起きたのも偶然ではないことがわかります。

権を憎むあまり、国体まで「王国（キングダム）」から「共和国（リパブリック）」に変えてしまいました。

しかし、我々はすでに「何人（なんびと）たりとも"歴史の流れ"には逆らえない(＊08)」ことを繰り返し学んできました。

したがって、感情的になって絶対王権を倒したところで、これを倒した彼（クロムウェル）自身が"絶対君主も裸足で逃げ出す独裁者(＊09)"となってこの国を牽引していくことになるだけです。

> ■ 歴史法則17 ■
> 国家が存亡に関わる国難に襲われたとき、
> 国民の信とは関係なく政府は独裁国家に向かう。
> 国民が独裁を望まず、これを打倒しても、
> 国難を解決しない限り新政権が新たな独裁国家となる。

しかし、それではなんのための革命（レヴォリューション）か、何のための共和国（リパブリック）か。

こうして、王国（キングダム）を懐かしむ声が高まり、結局、この時代の末には王政復古が行われることになります。

» バルト海争奪戦

食糧が少なくなれば、残されたわずかな富の争奪戦が起きるのは世の常です。

（＊08）「歴史法則14」(p176)参照。
（＊09）肩書こそ「護国卿」というものでしたが、その実体は"絶対君主"でした。

　ただでさえ緯度が高く、寒い気候のバルト海沿岸の国々(＊10)では、こたびの"最寒期"の危機をバルト権益を独占することで乗り越えようとします。

　こうしてバルト沿岸の国々は相争い、以降、典 露戦争・典 波戦争、さらには三十年戦争・典 丁戦争、そして第1次 北方戦争など、「バルト海争奪戦」とも総称すべき戦乱を巻き起こすことになりました。

　これらの争奪戦を勝ち抜き、見事「バルト覇権」を手に入れたのが、グスタフ2世・クリスティーナ・カール10世と3代にわたってこの争奪戦を戦い抜いたスウェーデンでした。

　以降のスウェーデンは別名「バルト帝国」と呼ばれ繁栄したのとは対照的に、敗れたデンマーク・ドイツ・ポーランドは衰退していき、ロシアは新たな"儲け口"を探すため、シベリア方面へと領土拡大していくことになります。

》　オランダの覇権

　このように、各国が"最寒期"の危機に悶絶する中、比較的被害が少なかったのがオランダです。

　寒冷気候によってもっとも被害を受けるのが農業であり、どの国も農業に大きく依存していたため大打撃を受けましたが、オランダは"商人国家"だったため、その被害も他国に比べれば小さく、諸国が悶絶しているのを横目に、オランダはヨーロッパを飛び出し、新大陸や Ａ Ａ 圏に貿易拠点を作って世界を相

（＊10）スウェーデン・ロシア・ポーランド・ドイツ・デンマークです。

手に交易に勤しみます[*11]。

しかし、そのことは裏を返せば、"最寒期"（イベント0）が明け、ヨーロッパ諸国が力を恢復しはじめれば、オランダの繁栄にも影が差すことを意味します。

事実、"最寒期"（イベント0）が収まってきた17世紀の後半になると、海に進出してきたイギリスの挑戦[*12]を受け、以降、守勢に転じていくことになりました。

» 停滞期に入ったオスマン帝国とムガール帝国

このように「17世紀の危機」に悶絶するヨーロッパにも喰い込み、三大陸を股にかける大帝国となっていたオスマン帝国もまた、"最寒期"（イベント0）の影響と無縁ではありませんでした。

しかしながら、オスマン帝国は東地中海を"我らが海"（マーレ・ノストゥルム）として、アジアとヨーロッパを結ぶ中継貿易での商業収入も多かったため、「帝国を支えるベクトル」と「衰退のベクトル」が拮抗し、帝国の行く末を左右するような大戦もなければ内乱もない「停滞期[*13]」となります。

当時のイスラームにおいてオスマン帝国と双璧を成すムガール帝国もまた、オスマン帝国とおなじような道をたどりましたが、ここから先の両国の歴史は大きく分かれていくことになります。

じつは、ひとつの国家が衰退期に入ったとき、そのままゆっ

（＊11）その中には我が国日本も含まれています。オランダが長崎を拠点として日本との貿易を始めたのが1609年です。

（＊12）第1次英蘭戦争（1652〜54年）。

（＊13）見方によっては「安定期」ともいえます。

くりと見せ場もなく衰亡していくパターンと、一時的に文化が華やいで"中興"が現れるパターンがあります。

"中興"が起こらない場合はゆっくりと衰退していきますが、起こった場合、"中興"が終わるや否や、一気に収拾の付かない大混乱に陥って短期のうちに滅亡することが多いものです。

> ■ 歴史法則18 ■
> 国家がいったん衰退過程に入ったあと"中興"が起こるとそれが終わった後、短期のうちに滅亡することが多い。

この時代、オスマン帝国には"中興"が現れませんでしたが、ムガール帝国は文化が華やぐ"中興"現象が現れます。

第5代 シャージャハーン帝のころを中心にイスラーム文化とヒンドゥー文化が融合した**インド＝イスラーム文化**が華やぎ、建築に**タージ＝マハル廟**[*14]、絵画に**ムガール絵画**が栄えます。

したがって、次時代からオスマン帝国がゆっくりと衰退していくのとは対照的に、以降のムガール帝国は急速に解体していくことになります。

≫ サファヴィー朝、最後の煌めき

これに対して、前時代、オスマン・ムガール二大帝国に挟まれて発展できなかったサファヴィー朝は、両国が停滞期に入り圧力が和らいだことで、両国より少し遅れて[*15]**アッバース1**

（＊14）ムガール帝 第5代 シャージャハーンの愛妃の廟。
（＊15）前時代の末期（16世紀後葉）からこの時代の初頭（17世紀前葉）にかけて。

世（位1588〜1629年）の下に絶頂期に入りました。

しかし、やはり"歴史の流れ"には逆らえず、彼（アッバース1）の没後はオスマン・ムガール両帝国を追うようにして、停滞期に入っていきます。

つまり、この時代のイスラーム世界は、三者三様の過程をたどりつつも、結局は一斉に停滞期に入ったことになります。

》　明末清初の交代期

このように、ヨーロッパ文化圏が「17世紀の危機」に悶絶し、イスラーム世界が停滞していったこの時代、中国は新旧交代の"明末清初"に当たりました。

サファヴィー朝がアッバース1世の下"我が世の春"を謳歌していたちょうどそのころというのは、中国では明朝 第14代万暦帝の親政期（1582〜1620年）に当たりますが、万暦帝はせっかく首輔（＊16）の張居正（ジャンジージャン）から引き継いだ黒字財政を相次ぐ外征（＊17）と奢侈な生活でアッという間に破綻させ、明朝を亡ぼす元凶となっていきます。

万暦帝が親政を開始した翌年（1583年）には、すでに満洲（マンジュ）から女真族建州部（ジュルチン）が自立化しており、その晩年には「清（＊18）」が打ち建てられ（1616年）、万暦帝の死から四半世紀と経ずして明朝は滅亡、清朝が取って代わることになりました。

こうして、すでに制度疲労を起こしていた明朝は亡び、新進

（＊16）内閣大学士の長。現代日本の首相に当たる。「宰相」と表現されることも。

（＊17）「万暦三大征」。哱拝（ボハイ）の乱、朝鮮の役、播州（楊応龍）の乱に対する出兵のこと。

（＊18）正確には、清の前身である「後金」。建国20年目にして「清」と改号。

気鋭の清朝に切り替わったことで、次時代（近世 第3段階）の極盛期の前提が整います。

» 徳川幕府の開幕

　この時代は、日本はちょうど**江戸幕府**の前期（初代 徳川家康〜4代家綱）にあたり、以降「徳川三百年」と言われる礎（いしずえ）を築いていくことになりますが、じつはこの徳川政権と足並みを揃えるようにして展開した王朝が2つあります。

　ひとつが、ヨーロッパの**ロマノフ朝ロシア帝国**。

　もうひとつが、中国の**清朝**。

　この3つの王朝[*19]は、いずれも小氷期の"最寒期"（イベント0）が襲った1600年を少し越えたころに生まれ、小氷期のド真ん中の1700年前後に絶頂期を迎え、300年近く命脈を保った[*20]のち、小氷期が明けてまもなく亡ぶという、よく似た歴史を歩みます。

　まさに小氷期の最寒期（イベント0）に生まれ、小氷期とともに栄え、小氷期とともに亡んでいった"小氷期の申し子"ともいうべき3王朝でした。

（*19）厳密に言えば、徳川家は「王朝」ではなく「将軍家」。日本で「王朝」といえば天皇家のみ。

（*20）ロマノフ朝が1613〜1917年の304年間、清朝が1616〜1912年の296年間で、江戸幕府が両者に較べて30〜40年ほど短く、1603〜1867年の264年間。

第3幕（1660～1770年ごろ）

絶対主義時代（後期）

第**18**章

＜ 近世 第3段階 ＞

最寒期は越えたが依然として小氷期は続き
諸国は生き残りを賭け、豊かな土地を目指して
膨張戦争と争奪戦に明け暮れる時代

近世 第3段階の歴史大観

（1660〜1770年ごろ）

　1660年代を境として世界は「戦争の時代」に突入する。

　イギリスでは「王政復古」以降、左右の壮絶な綱引きののち「名誉革命」で決着、その後はフランスと北米争奪戦に入る。

　フランスはルイ14世の親政から絶対主義の絶頂を背景に対外膨張戦争の繰り返して、やがて破局に向かう。

　ドイツではシュレジエン争奪戦（七年戦争）が、北欧・東欧ではバルト海争奪戦（大北方戦争）が、バルカン半島ではハンガリー争奪戦（墺土戦争）が起こっており、これを制した国々は勝ったが故に改革が進まず、敗れた国は歴史の表舞台から姿を消す。

　イスラーム諸国はこうしたヨーロッパの侵寇を受け急速に後退しはじめ、オスマン帝国は大きく領土を削られながらもなんとか持ち堪えたが、ムガール帝国は解体してインドの一地方政権にまで零落し、サファヴィー朝に至っては滅亡。

　これに対して中国は、対外膨張戦争を繰り返して領土を最大とし、康煕・雍正・乾隆の"三世の春"と謳われる絶頂期に入る。

近世 第3段階の歴史展開

（1660〜1770年ごろ）

　1600年ごろに襲いかかった「小氷期」の最寒期は歴史を一段

階押し進め、時代を「近世 第2段階」に突入させました[*01]が、その最寒期（イベント0）もようやく明けた（1650年ごろ）ことで近世はさらに「第3段階」に突入します。

　それでは、この時代の幕開けとなる1660年前後、各国はどのように歴史を変質させていくのかを見ていくことにしましょう。

》　イギリス、王政復古・名誉革命、そして…

　前時代、イギリスでは「清教徒革命（ピューリタン）」を起こして絶対王権を打倒しましたが、そうして生まれた共和国の蓋（ふた）を開けてみれば絶対主義さながらの独裁体制で、これに辟易（へきえき）とした人々は古（いにしえ）を懐かしみ「王政復古」となったところまで触れましたが、その「王政復古」が1660年です。

　復古の条件は「革命（レヴォリューション）の成果を認め、その責任を一切問わないこと」「議会を尊重し、絶対主義体制に戻らないこと」[*02]でしたが、復古した王権は絶対主義を懐かしみ、この約束を反故（ほご）にしてこれを復活しようと試みたため、ふたたび王権と議会の“綱引き”が始まり、その決着を付けるためもう一度「革命（レヴォリューション）」を経験せざるを得なくなります。

　それが「名誉革命（グロリアス）」です。

　1000年におよぶイギリスの歴史において、革命（レヴォリューション）が起こったのは後にも先にもこの2度[*03]だけですが、その2度とも「17世紀の危機」に起こったことは偶然ではないでしょう。

（＊01）「歴史法則02」（p33）参照。
（＊02）チャールズ2世が帰国直前（1660年）、オランダのブレダで約束させられましたので、これを「ブレダの宣言」といいます。
（＊03）「ピューリタン革命（1642〜49年）」と「名誉革命（1688〜89年）」のこと。

名誉革命によって「**権利章典**」が発布され、絶対主義は完全に倒れて、以降のイギリスは「**自由主義**」段階に入ります。

　こうして国内問題が解決したことで、**イギリス政府は"外"に目を向ける**[*04]ことになりますが、このときイギリスが目を向けたのがおもに北米でした。

　イギリスは北米の覇権をめぐってウィリアム王戦争・アン女王戦争・ジョージ王戦争・フレンチ＆インディアン戦争[*05]を戦い抜き、1763年、ついにフランス北米植民地「新フランス（ヌーヴェル）」を消滅させ、「**北米13州**」を確立することに成功しました。

　しかし、この勝利こそが次時代（近代 第1段階）へと歴史を動かす前提条件となっていきます。

》　フランス絶対主義絶頂（ルイ14世期）

　かたや近世開闢（かいびゃく）以来、イギリスと歩調を合わせるような歴史を歩んできたフランスは、このころからイギリスとは"別の道"を歩みはじめます。

　イギリスと違い、前時代（近世 第2段階）で貴族の叛乱（フロンドの乱）の鎮圧に成功したことで「**市民革命**（ブルジョワ）」が起こらず、もはや王権に逆らい得る勢力が国内から消え失せ、**安定政権となった王朝の目は"外"に向きはじめます**[*06]。

（＊04）「歴史法則13」（p161）参照。

（＊05）これら一連の戦争から始まり、アメリカ独立戦争・フランス革命・ナポレオン戦争と100年以上にわたって英仏はつねに敵対し戦いつづけたので、これらを総称して「第2次英仏百年戦争」と呼びます。

（＊06）イギリスもフランスもほぼ同時期に"外"に目を向けることになり、歩調を合わせているように見えますが、その理由が、イギリスは「王権を制限しようとする叛乱鎮圧に失敗したから」、フランスはそれに「成功したから」でまった

この時代（近世 第3段階）のフランスはちょうど**ルイ14世**の親政期（1661～1715年）から**ルイ15世**（位1715～1774年）の御世にかけてですが、ルイ14世の御世だけでも**南ネーデルラント継承戦争・オランダ侵略戦争・ファルツ継承戦争・スペイン継承戦争**（1701～13年）―― と立てつづけに4つの戦争を繰り返し、のみならず、これに付随する植民地獲得戦争[*07]に明け暮れます。

しかし、そのほとんどは敗戦か戦果の乏しいもので、フランスはこれらの大戦争に投入した兵力・財力を回収できず、国庫が破産してしまいます。

この間、国民は塗炭の苦しみを味わわされながら、政治的発言権すら与えられなかったため、ルイ14世の死の際には、皆これを歓喜し、葬列には罵声を浴びせかけたと言います。

》 ドイツ、領邦絶対主義へ

そのころのフランスのお隣ドイツでは、前時代（近世 第2段階）に神聖ローマ帝国が有名無実化し、その中から領邦が自立化[*08]して分断国家となり、国土は荒廃していましたが、その焦土の中から有力勢力が2つ現れてきました。

それが**プロイセン**[*09]と**オーストリア**です。

くベクトルが違うために、ここからの歴史が大きく変わることになります。

（＊07）このころのフランスは、ルイ14世の時代の4つの戦争だけに留まらず、ルイ15世の御世も、海を乗り越え、北米やインドでも数多くの植民地獲得戦争を繰り広げました。

（＊08）日本で喩えれば、応仁の乱（三十年戦争）以降、室町幕府（神聖ローマ帝国）が有名無実化し、各地に戦国大名（領邦）が自立化した ―― ことを思い浮かべてもらうと想像しやすいでしょう。

（＊09）ドイツ語発音。英語発音で「プロシア」と表記してあるものも。

前時代の痛手から徐々に恢復(かいふく)してくると、プロイセン・オーストリア両国はドイツの主導権を巡って敵対関係になりますが、このころ両国で即位したのが、プロイセン王**フリードリヒ２世**（位1740〜86年）と、オーストリア帝**マリア＝テレジア**（位1740〜80年）でした。

　両名はドイツの主導権を巡って"永遠のライバル"として鎬(しのぎ)を削ることになります[*10]が、フリードリヒ２世は仏　墺(フランス　オーストリア)の対立（**オーストリア継承戦争**）に乗じて地下資源豊富な**シュレジエン地方**をオーストリアから掠(かす)め取ることに成功し、力を蓄えていくことになりました。

》　フランス絶対主義動揺（ルイ15世期）

　ところで、ルイ14世の死を歓喜を以(もっ)て迎え、新時代の幕開けに期待を膨らませたフランス国民でしたが、つぎの**ルイ15世**も財政が悪化しているにもかかわらず先王とまったく同じ奢侈(しゃし)と外征を繰り返しました。

　主なものだけでも、ヨーロッパでは**オーストリア継承戦争**（1740〜48年）・**七年戦争**（1756〜63年）、海(アトランティック)を越えた新大陸(アメリカ)では**ジョージ王戦争**（1744〜48年）・**Ｆ＆Ｉ戦争**(フレンチ　アンド　インディアン)（1754〜63年）、インドでは３次にわたる**カルナティック戦争**（1744〜63年）・**プラッシーの戦**（1757年）などなど。

　そしてその結果も、ルイ14世同様ほとんど成果がないか敗北に終わり、その負担は国民の身に重くのしかかります。

（＊10）奇しくも、この両名が即位したのがどちらも「1740年」と同年でした。

　王は愛人[*11]に溺れ政治に関心なく、政府の中枢は腐敗の温床と化し、経済は悪化の一途をたどり、社会は紊乱し、国中に王への怨嗟（えんさ）の声がこだまする中で、絶対主義体制に対する疑問が湧き起こってきました。

》　啓蒙思想の風靡

　それが「啓蒙思想（リュミエール）」です。

　啓蒙思想（リュミエール）はもともとイギリスで生まれたものです。

　王政復古（1660年）後に絶対主義復活を目論む王権に対して、"絶対王権を否定する理論武装"として興り、その打倒に成功（名誉革命）した実績を持っていたため、絶対王権に対して不満の鬱積するフランスで華開いたのでした。

　国庫破綻、啓蒙思想（リュミエール）の風靡、そしてルイ15世の死[*12]。

　こうしてフランスもまたこの時代の末までに次時代（近代 第1段階）に移行する条件が整っていくことになったのでした。

》　啓蒙専制君主の登場

　イギリスはとうの昔に絶対主義を脱却し、フランスも絶対主義の行き詰まりに逢着していたちょうどそのころ、ドイツやロシアでは、ようやく絶対主義確立に向けて地歩を固めつつあっ

（*11）ポンパドゥール夫人、デュバリー夫人など。「フランス随一の美男子」と言われ、多くの愛人を抱えたため「愛人王」などと渾名（あだな）されました。

（*12）「フランス随一の美男子」と謳われたルイ15世でしたが、政治を放棄し、国民の怨嗟の声を無視し、愛人に溺れた生活をした報いか、最後は天然痘にかかって顔面が腐り落ち、見分けが付かなくなった腐乱死体のような姿となって死にました。

たところでした。

このタイミングで「絶対王権打倒」を叫ぶ啓蒙思想に入ってこられるのは如何にもまずい。

できればその侵入を食い止めたいところですが、「人の口に戸は立てられぬ」の諺どおりそれも現実的ではありません。

そこで彼らはこれを逆手に取ります。

むしろ積極的に啓蒙思想を取り込み、自らを「啓蒙主義者」と位置づけて自身が啓蒙思想の発信者となって論点を自分たちの都合のいいようにすり替え、形骸化させた啓蒙思想を流布させるのです。

「啓蒙思想で理論武装した絶対主義君主」という自己矛盾に満ちた歪な君主、「啓蒙専制君主」はこうして生まれました。

典型的な啓蒙専制君主には、プロイセンの**フリードリヒ２世**、ロシアの**エカチェリーナ２世**、オーストリアの**ヨーゼフ２世**らがいます。

》 バルト海沿岸諸国、大北方戦争

さて、それでは次に北欧世界に目を向けてみましょう。

このあたりは、前時代までにバルト海沿岸諸国(*13)を抑え込んでその制海権を握ったスウェーデンが「**バルト帝国**」として君臨していました。

しかし、煮え湯を呑まされたバルト海沿岸諸国も手をこまねいていたわけではなく、捲土重来・失地恢復とばかり、虎視眈々と制海権奪還を狙っており、それがついに爆発したのが

(＊13)ロシア・ポーランド・ドイツ・デンマークなど。

「北方戦争^(*14)」です。

　このとき、スウェーデンはなんとか制海権を死守したものの、以降、守勢に回り、これが歴史の大きな節目となったのですが、これもやはり「1660年ごろ」です。

　こうした風向きの変化を受けて、ロシア皇帝に即位したのが、かのピョートル1世（位1682〜1725年）です。

　この均衡を打破するため、彼が旗頭となってバルト海沿岸諸国を抱き込み^(*15)、今一度スウェーデンに挑んだものが「大北方戦争」です。

　ロシアはこの戦争を20年以上も戦い抜いてスウェーデンを降し、次時代（近代 第1段階）に発展する礎を築きましたが、これに対して"海"を失ったスウェーデンは後退していったのは当然として、戦勝国に名を連ねたポーランドも、長引く大戦の主戦場となったため国土が焦土と化して衰え、次時代のポーランド分割を招く一因となっていきます。

》　オスマン帝国、無謀な攻勢からの解体

　前時代にすでに「停滞期」に入っていたイスラーム圏ですが、この時代に入ると、堰を切ったように一斉に解体が始まります。

　まずオスマン帝国の"堰"を切る歴史的役割を担ったのが「第2次ウィーン包囲（1683年）」でした。

（*14）「第1次北方戦争」とも。北方戦争には「1655〜61年」のものと「1700〜21年」のものと2つあるため、「第1次」「第2次」を冠して区別したり、あるいは後者にのみ「大」を冠して区別したりします。

（*15）ポーランド・プロイセン・デンマークなど。これを「北方同盟（反スウェーデン同盟）」といいます。

なんと、絶頂期のスレイマン大帝ですら成し得なかったウィーン攻略に選りに選ってこの最悪のタイミングで乗り出したのです。

> ■ 歴史法則19 ■
> 絶頂期を経験した国は、その"過去の栄光"に囚われて
> すでに衰退期に入っていることをなかなか自覚できず、
> 身の程もわきまえず大攻勢に出てしまうことがある[*16]。

　その結果、**カルロヴィッツ条約**（1699年）が結ばれ、オーストリアにバルカン半島の広大な領地（ハンガリー・トランシルヴァニアなど）をごっそりと奪われることとなりました。

　これを潔しとしないオスマン帝国はただちに「捲土重来！」とばかり再戦に臨みましたが連敗。

　パッサロヴィッツ条約（1718年）を結ばされてさらに領土を失陥するハメに[*17]。

　オスマン帝国が同じ相手に連敗したことは建国以来初めてのこと[*18]で、ここにオスマン帝国の弱体ぶりを見たヨーロッパ諸国は一気にオスマンへ攻勢をかける契機ともなりました。

（＊16）身近な例で言えば、現代中国がまさにそうです。
　　　　すでに衰退期に入っているのにその自覚なく、現在、中国は近隣諸国に攻勢を強めていますが、もし武力衝突に発展すれば、これが中国にとっての「第2次ウィーン包囲」となって中国は一気に崩壊するでしょう。
（＊17）このとき、カルロヴィッツ条約を結ばされた1683〜99年の戦争を「第5次墺土戦争」、パッサロヴィッツ条約を締ばされた1716〜18年の戦争を「第6次墺土戦争」といいます。
（＊18）建国が1299年、カルロヴィッツ条約が1699年ですから、この屈辱はオスマン建国からちょうど400周年の出来事だったことになります。

» オスマン帝国、「滅亡へのスパイラル」1周目

こうして、建国から400年近くにわたってほとんど「敗け知らず」の全勝状態[*19]だったオスマン帝国が、この連敗以降、滅亡に至るまでの約200年間[*20]、打って変わって「戦争すればかならず敗ける！」というほとんど全敗状態となります。

狼狽したオスマン帝国は近代化の必要性を痛感し、時の皇帝アーフメット3世は近代化に着手（チューリップ時代）したものの、敢えなく失敗。

以降のオスマン帝国は、戦争すればほぼ確実に敗けるので危機感を感じて近代化に乗り出すもやはり失敗。

失敗したまま次の戦争に突入するのでまた敗れ、やはり近代化が必要と悟って近代化に着手するも失敗。

だから、次の戦争でも敗けるので……という負のスパイラルを転げ落ちていく[*21]ことになります。

滅亡するその日まで。

» ムガール帝国、絶頂に見せかけた解体

ムガール帝国もこれと同じ道をたどります。

この時代のムガール帝は、"絶頂期の皇帝"と評価されることもあるアウラングゼーブ帝（位1658〜1707年）ですので、ムガール帝国の繁栄期と勘違いされていますが、その実態はムガール

（＊19）1402年にアンカラで、1571年にレパントでそれぞれ敗れていますが、380年もの長い期間で敗戦らしい敗戦はこの2つくらいです。

（＊20）パッサロヴィッツ条約（1718年）から滅亡（1922年）まで。

（＊21）この負のスパイラルを5回も繰り返し、6周目に入ったところで滅亡します。

の解体期です。

"絶頂期の皇帝"という言葉が一人歩きして、彼を「名君」と誤認している人は多い[*22]ですが、実際の彼はお世辞にも「名君」と呼べるような人物ではなく、甘く評して「凡帝」、厳しく評すれば「愚帝」です。

それは本人自身が認めるところで、彼は死に臨んで半世紀にわたる自らの治世を振り返ってこれを失政と認め、「余は臨機応変に統治を行う能力に欠けていた」と自戒しています。

そしてこの"臨機応変な統治能力"こそ「名君」には必須条件であって、それを持たない者を「名君」とは呼べません。

彼が「絶頂期の皇帝」などと褒めそやされている理由は、単に「最大版図を形成した」というこの一点です。

しかしながら。

確かに彼は、無理に無理を重ねた戦争を繰り返したことで版図を最大にしたかもしれませんが、その代償として、国内を収拾つかない混乱に陥れており、それは彼の晩年にはすでに表面化していて、彼の死後、帝国は一気に崩壊していくことになります。

》　英仏インド争奪戦に決着

そうした中、インド亜大陸の東海岸では、英仏によるインド争奪戦が繰り広げられていました。

(*22)「絶頂期の皇帝＝名君」と勘違いしている人はたいへん多い。
　　　しかしながら、"絶頂期の皇帝"とは隆盛期と衰退期のちょうど境目に位置する皇帝で、それは「先代から"隆盛期の帝国"を受け継ぎながら、その財産を食いつぶして"衰退期の帝国"として次代に引き渡す皇帝」を意味しますから、むしろ"絶頂期の皇帝"が無能であることの方が珍しくないほどです。

イギリスはすでに前時代の1639年には**マドラス**（現チェンナイ）を押さえていましたが、この時代に入るとインド支配を本格化させ、1661年に**ボンベイ**（現ムンバイ）、1690年には**カルカッタ**（現コルカタ）を拠点化し、ここを基盤として勢力を拡げていきます。

これに対して、同じくインドを狙っていたフランスは、これ見よがしにマドラスのすぐ近くに**ポンディシェリ**（1672年）を、翌年にカルカッタと隣接する地点に**シャンデルナゴル**（1673年）を建設して、あからさまにイギリスに対して対決姿勢を示します。

こうして、英仏はこの時代の末には一大決戦[*23]を演じ、イギリスがこれを制します。

こうして、「ムガール帝国の衰退」「イギリスの覇権」という次時代の条件が整いました。

》 サファヴィー朝滅亡、戦国の世へ

これまでつねに他文化圏に対して攻勢であったイスラームも、この時代に入ってついに、イスラーム世界でも双璧を成したオスマン・ムガール両帝国ですら劣勢に転じました。

ましてや、両大国に挟まれてつねに守勢に立たされていたサファヴィー朝はここで持ち堪えることができずに滅亡します。

サファヴィー朝の滅亡後もなかなかつぎの統一王朝が現れず、しばらく「戦国」の様相を呈し、イランは混迷が続くことにな

（＊23）カルナティック争奪戦として第1～3次 **カルナティック戦争**（1744～63年）、ベンガル争奪戦として**プラッシーの戦**（1757年）。

りました。

»　清朝、"三世の春"現出

　このように、ヨーロッパがＡＡ圏（アジアアフリカ）で植民地獲得を本格化していたちょうどそのころ、間（タイミング）の悪いことに、それを迎え討たなければならないイスラーム圏は「解体期」に入ってしまっていたためヨーロッパの侵掠（しんりゃく）に対応できず、劣勢を余儀なくされてしまいます。

　このヨーロッパの侵掠の野心は、イスラーム圏のみならず中国にも向けられ、"侵掠（しんりゃく）の先兵"たる宣教師[*24]は清朝にも送り込まれましたが、しかし、中国の場合はイスラームのようにはいきません。

　なんとなれば、そのころの中国は1661年[*25]の康熙帝（カンシー）（第4代）の即位から始まり、雍正帝（ヨンジョン）（第5代）・乾隆帝（チェンロン）（第6代）と3代130年にもわたって続く、中国史上でも最長かつ最大規模の黄金時代にあたり、版図も中国史上最大となり、"三世の春"を謳歌していたときだからです。

　したがって本来であれば、まず宣教師が王権に取り入って布教の許可や貿易の利権を手に入れる手筈でしたが、逆に、清朝側の方が王朝に媚び（こ）を売る宣教師の知識・文物・技術を吸収し、

（＊24）ヨーロッパは植民地にしようと狙った地に、まず最初に宣教師を送り込んで現地信者を増やし、つぎに商人を送り込んで現地経済を破壊したあと、最後に軍隊を送り込んで制圧する──という手口を使いました。つまり、この時代にヨーロッパから宣教師がやってきたら、その国は植民地として「狙われている」ことを意味します。戦国以降、日本にやってきた宣教師も同じです。

（＊25）これは、イギリスが王政復古を果たしてチャールズ2世が即位した翌年、そして、ルイ14世が親政を開始した年と同じです。

利用するだけ利用したあと、ひとたび問題^(*26)が起こるやたちまち宣教師を入国禁止^(*27)にし、**貿易港も広州一港に限定して**監視の目を強め、そのうえ**特権商人「公行(コーホン)」**を通じてでなければ交易できないよう制限を厳しくしてしまいます。

　こうしてヨーロッパはながらく中国には手が出せない状態が続くことになったのでした。

》　日本、鎖国体制の強化

　このように、世界は**1660年を前後して大きな政治的転換期**にありましたが、このころの日本も例外ではありませんでした。

　1660年ごろの日本といえば、ちょうど**第4代家綱**のころですが、徳川三代（家康・秀忠・家光）のころまでは戦国の名残もあって「**武断政治**」が行われていましたが、そうした強引なやり方も限界に達し、家綱のころ（1660年前後）から「**文治政治**」に切り替わっています。

　対外的にも、日本はすでに前時代から「**鎖国**^(*28)」に入っていましたが、この時代からさらに強化され、ヨーロッパの侵掠に備えることになっています。

(＊26)**典礼問題**のこと。中国の伝統宗教や習慣・儀礼（典礼）などを認めるか認めないかで起こった論争。

(＊27)康熙帝の時代にはまだ「イエズス会を除く」という抜け道がありましたが、雍正帝の御世には「全面禁止」にしてしまいます。

(＊28)昨今、「鎖国などなかった！」などの世迷言が広められていますが、もちろん鎖国はあります。詳しくは本幕コラムにて。

序章　先史　古代　中世　**近世**　近代　現代

243

鎖国はなかった？

　最近、降って湧いたように「鎖国などなかった！」という妄言が広まっていますが、ウソです。

　いちいち断るのも煩わしいほどですが、これについて触れておかないと、「鎖国などないって最先端の知識を知らないのか、この著者は!?」とあらぬ言いがかりを受けかねないので、ひとこといっておかねばなりません。

　「鎖国などなかった派」の主張を聞くと、

――当時、「鎖国」などという言葉はなかった。

　しかしながら、当時「言葉」としてなくても事実として存在しており、後世に名を付けるなどということは歴史上頻繁に行われています（幕府・藩・幕藩体制・藩士など）のでこんなものはまったく理由になりません。また、

――当時、幕府は清朝・朝鮮・オランダなどと交易しており、
　国を鎖しているわけではなかった！

　それは確かに事実ですが、そういった例外的な国以外のほとんどのすべての諸外国とは国を鎖ざしていたので、例外的に開いている方ではなく、圧倒的多数の鎖している特性から「鎖国」と名付けたにすぎません。

　例外があったから「鎖国ではない」など、揚げ足以外の何物でもありませんし、名と体が異なる歴史用語など、他に数えきれないほどあります（銀箔が貼られた形跡すらないのに「銀閣」など）。

　新説が出てきたとき、その新説がデタラメということはよくあることですので、鵜呑みにしないことが大切です。

第1幕（1770～1815年ごろ）

自由主義時代（前期）

第19章

＜近代 第1段階＞

二重革命（産業革命と市民革命）が起こった
ことで、歴史は「近世」から「近代」へと
大きくうねりはじめる

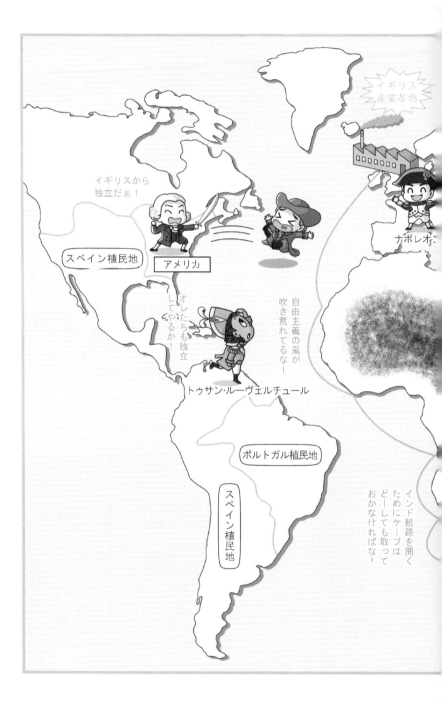

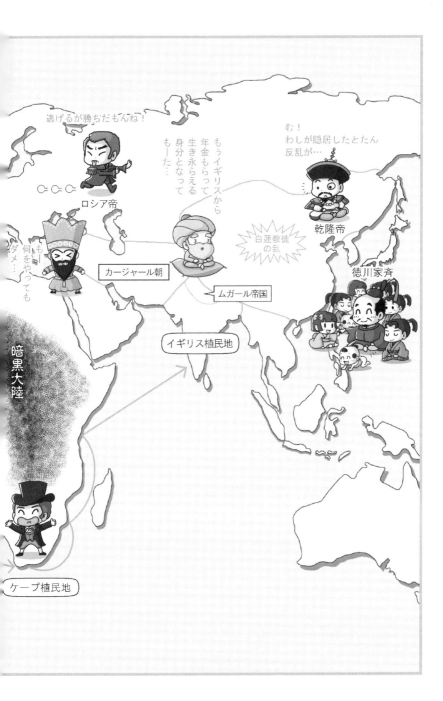

近代 第1段階の歴史大観

（1770～1815年ごろ）

　1770年代からイギリスで起こった「産業革命（インダストリアル・レヴォリューション）」は、人類史に劇的な変化を与えることになった。

　産業革命を目前に控えたイギリスが、北米の**13植民地**の市場化を本格化させたことが「**アメリカ独立革命**」を引き起こし、こうした動きが「**フランス革命**」を誘発させ、フランス革命が「**ナポレオン**」という"鬼っ子"を産み落として、全欧に自由主義が拡大、時代は「**自由主義段階**」へと突入していく。

　産業革命を背景としてイギリスが世界に乗り出したとき、これを受けて立たなければならない**イスラーム世界**は間の悪いことにちょうど解体期に入っており、その餌食（えじき）となっていく。

　しかし**中国（清朝）**は、このころから停滞期に入ったとはいえ、まだまだ往時の余韻を残し、列強の接触を鎧袖一触（がいしゅう）する。

近代 第1段階の歴史展開

（1770～1815年ごろ）

　さて、ここまでの歴史を俯瞰（ふかん）してきて、歴史が大きく動くとき、その背景にはいつも「寒冷期」と「温暖期」がありました。

　しかし、この時代から先は「小氷期」が明ける19世紀の中ごろまでは大きな気候変動はありません。

　にもかかわらず、その間も歴史は1770年ごろ、1815年ごろ、1870年ごろ──と大きな節目を迎え、激動してます。

　じつはここからの歴史は気候変動ではなく、政治的・社会的・経済的な流れの中で転移していくためです。

　今回の節目「1770年ごろ」は、「**二重革命**(＊01)」によって動きはじめ、時代はいよいよ「近世」から「近代」へと移り変わっていくことになります。

》　**イギリス、産業革命勃発**

　1770年代、イギリスで「(第1次) 産業革命」が勃発しました。

　そしてこの産業革命こそが、時代を"近世から近代へ"移行させたのみならず、人類史を大きく歪（ゆが）める(＊02)ことになります。

　これまで人類は、悠久なる太古より動力源として**人力**(農奴・奴隷など)・**畜力**(牛・馬など)・**風力**(風車など)・**水力**(水車など)の4つを駆使して生産活動を行ってきました。

　しかし、ここに蒸気機関による「**火力**」が加わったことで、人類史は激変することになります。

(＊01)「産業革命」と「市民革命」の総称。市民革命は、通常「フランス革命」を指しますが、「アメリカ独立革命」まで含めることもあります。

(＊02)「歪める」と表現しましたが、「産業革命」とはまさに人類がけっして開けてはならない「パンドラの壺」だったといってよいでしょう。
　確かに産業革命によって人類は"豊かさ"を手に入れましたが、その代償としてそれまで経験したことのないあらゆる災厄を被るようになったばかりか、人類史そのものの寿命が大幅に短くなったことは間違いありません。

» 産業革命が勃発する条件

ところで、産業革命を起こすためにはさまざまな条件を満たさなければなりません。

たとえば、**機械を作るための材料（鉄）、それを動かすための燃料（石炭）**に**商品の原料（綿花など）、そしてそれを支える労働力（労働者階級）**が安価かつ潤沢に供給できる体制が整っていること。

また、そうして生産された**大量の商品を売り捌（さば）くための市場（海外植民地）**があること。

その点、イギリスは地下資源（石炭・鉄鉱など）に恵まれ、新たに労働者階級（プロレタリアート）が創成される社会的素地（囲い込み運動など）があり、すでに広大な海外植民地を有していましたから、産業革命が起こる"必要条件"は備えていました。

しかし、それらがすべて揃っていてもまだ"十分条件"とはいえず（＊03）、産業革命は起きません。

産業革命を起こすためには、これらの必要条件を円滑に動かすために"先立つもの"、すなわち国家予算など比較にならない**莫大な「資本」**が必要になります。

通常そんな巨大資本、おいそれと準備できるものではありませんが、イギリスにはそれがありました。

すでに永年にわたる**黒人奴隷貿易で巨万の富を蓄積していた**からです。

つまり**産業革命は"黒人奴隷の屍（しかばね）の山"の上に築かれた**とい

（＊03）「必要条件」と「十分条件」はまったく違います。地下資源・労働力・市場などは産業革命を起こすために"必要"ではありますが、それだけでは"十分"とは言えません（産業革命は起こらない）。そういう場合は「必要条件」といいます。

うことです。

　こうしてイギリスは"パンドラの壺(*04)"の蓋を開けてしまい、世界中に悪という悪をばら蒔きましたが、その"見返り"としてイギリスは、以降19世紀いっぱいまで繁栄を享受することとなります。

》　「饕餮」となったイギリス

　喩えるなら、産業革命というのはまるで古代中国の怪物「饕餮(*05)」のよう。

　「饕餮」とは、ひとたびこの世に生まれ落ちたが最後、この世のすべてのものを際限なく喰い尽くす、人間には制御不能の古代中国の伝説の怪物。

　産業革命もこれに似て、ひとたび動きはじめたが最後、「カネ」と「原料」を際限なく喰らって、無制限に商品を吐き出しつづける。

　イギリスはこれを売り捌きつづけなければたちまち我が身を滅ぼしてしまうため、もはや自分自身でもこれを止めることができなくなりますが、とてもとても国内で捌き切れるような量ではありません。

　そこで、イギリスはその望むと望まざるとにかかわらず、海の向こうに乗り出し、ＡＡ圏の人々を支配し、これを無理矢

(*04) 一般的には「パンドラの箱」と言い慣らわされていますが、これは『愚神礼讃』で有名なエラスムスが、「パンドラ」の話の原作である『労働と日々』(ヘシオドス著)の中にある「ピトス(壺)」を「ピュクシス(箱)」と誤訳したことから始まる誤りです。

(*05) 龍が生んだ9匹兄弟(龍生九子)の五男坊で、躰は牛、爪は虎、顔は人という風貌の怪物。ただし、兄弟の順番も風貌も諸説あってよくわかっていません。

理にでも売りつづけようとします。

　しかし、売れば売るほど「饕餮（工場）」はさらに多くの商品を吐き出しつづけるため、イギリスのＡ　Ａ圏に対する収奪は日に日にひどくなり、逆らうなら殺戮の限りを尽くしてでも、これを売り捌きつづけるようになります。

　その先に待っているのは「破綻」しかありませんが、そんなことを考えるヒマもないほどイギリスは植民地獲得に奔走しなければならなくなったのでした。

》　アメリカ独立革命

　ところで、まだイギリスが産業革命を興す少し前、イギリスは北米争奪戦に勝ち抜き、フランスの北米植民地「新フランス」を消滅（1763年）させていましたから、敵失となったイギリスは安心して「13植民地」に重税を課して[*06]、これまでフランスとの北米争奪戦にかかった「カネ」を回収すると同時に、ここを「市場」化しようと画策します。

　これに13植民地の人々が反発して起こったのが「アメリカ独立革命（1775～83年）」です。

》　フランス革命

　このアメリカ独立戦争に共鳴した人々がヨーロッパからぞくぞくと義勇兵として馳せ参じましたが、その中のひとりにフランスからやってきたラ＝ファイエット侯爵がいました。

（＊06）1764年 砂糖法、65年 印紙法、67年 タウンゼント諸法、73年 茶法など。

彼は、のちの初代大統領となるＧ.ワシントン将軍の副官として活躍し、独立を見届けたあと故郷に帰りますが、その直後、フランスでは革命騒ぎが勃発します。

これこそ、ルイ14世・15世と2代にわたって奢侈と外征で国庫を破綻させた歪みが**ルイ16世**の御世に爆発した「**フランス革命**（＊07）」です。

ラ＝ファイエット侯爵は休む間もなくその中心人物のひとりとして活躍し始めましたが、このように、**1780年代を前後としてヨーロッパには「産業革命」と「市民革命」が同時に展開し、この「二重革命」が"近世から近代へ"へと歴史を動かしていく原動力**になります。

歴史はひとたび動きだしたが最後、何人たりともこれを押し止めることができないし、できないどころかこれを止めんとする者は「隆車を止めんとして斧を振りかざす蟷螂（＊08）」同様、かならず歴史によって抹殺される――ことを我々はさんざん見てきました（＊09）。

しかし、旧体制（アンシャンレジーム）の中に生まれ、旧体制（アンシャンレジーム）の中でしか生きることができない者はその事実を理解できません。

したがって今回も、旧体制（アンシャンレジーム）の支配者階級（王族や特権貴族ら）は革命（レヴォリュシオン）に対して徹底的に抵抗した結果、いずれも亡命を余儀なくされるか、ギロチンの露と消えるか、革命側に媚を売って延命を図るかして消えていきました。

（＊07）1789年から99年までの10年におよび、革命に散っていった犠牲者の数たるや、一説には50万人に上るとも言われています。

（＊08）隆車とは「立派で大きな車」のこと、蟷螂とは「かまきり」のこと。

（＊09）「歴史法則14」（p176）参照。

≫ ポーランド分割

こうしたフランスの動きを横目に東欧では、普・墺・露（プロイセン・オーストリア・ロシア）に囲まれていまだ弱体王権だったポーランドが、この時機（タイミング）に絶対主義の確立に乗り出そうともがきます。

しかしながら、「絶対主義」などすでに時代遅れの骨董品（アナクロ）。

こうした歴史の流れに逆らう動きは、ただ単にポーランドを亡ぼす結果を招くだけです[*10]。

そうした歴史背景の中で生まれたのが「ポーランド分割（1772/93/95年）」です。

まさにフランス革命の真っただ中、中世から近世初頭にかけては強国だったポーランドは、歴史の流れに逆らった廉（かど）で亡ぼされる[*11]ことになります。

≫ フランス革命、暴走、暴走、そして泥沼へ

ところで、「フランス革命」は絶対王権を倒すことに成功したものの、この革命はすぐに暴走を始めます。

なにせ、政治になど携わったことのないズブの素人（シロート）たちが感情の赴（おもむ）くままに始めた革命でしたから、さもありなん。

革命当初こそ、革命はH.ミラボー（オノーレ）によって統制（コントロール）されていました[*12]が、その彼が革命直後に病死（1791年4月2日）してしまうと、以降、革命を止めることができる人材がいなくなって

（＊10）「歴史法則14」（p176）参照。

（＊11）直接的に手を下したのは、プロイセン・オーストリア・ロシア。

（＊12）そしてミラボーは、革命を収束させるべく国民議会と王室との間を奔走していました。

しまい、そこからは出口の見えない血で血を洗う泥沼の大騒乱へと引きずり込まれていきます。

» 新しい思想が新しい時代を切り拓く

　この革命を終わらせたのは、革命の中枢にいたその誰でもなく、革命勃発[*13]当初、まだ士官学校を卒業したばかりの弱冠20歳[*14]だった貧乏将校のナポレオン＝ボナパルトです。

　彼は革命を終わらせるや、「自由」「平等」「博愛」を掲げて征服戦争[*15]を展開したため、その精神が全欧に拡がっていくことになりました。

　人間の"行動"というものは、かならず概念・理念・思想に基づいて発現するものであって、それがなければ"行動"が起こることは決してありません[*16]。

　ナポレオンの征服戦争を通じて、下々の者に至るまで「自由」「平等」「博愛」という新しい理念が浸透しました。

　そうなれば、その理念に基づいて民衆が"行動"に打って出るのは時間の問題となります。

（＊13）「フランス革命はいつから始まったと見做すか」については諸説ありますが、1789年7月14日の「バスティーユ襲撃事件」とすることが多い。

（＊14）正確には20歳の誕生日を迎える1か月前なので、満で数えれば19歳。

（＊15）所謂「ナポレオン戦争」。彼が政治家に転身した1799年からセントヘレナに流された1815年まで。

（＊16）たとえば、19世紀以前のアジアで「Revolution（革命）」が起こらなかったのは、当時のアジア人にはそもそも「Revolution」という概念・理念・思想がなかったからです。知らないものは行動に移しようもありません。

■ 歴史法則20 ■

新しい概念・思想・理念が下々の者にまで拡がったとき、新しい時代が拓ける。

ナポレオン自身は15年ほどヨーロッパを席捲したあと没落することになりましたが、彼亡きあと、彼の"亡霊^(＊17)"が次時代を創り上げていくことになります。

» 「アフリカ分割」の始まり

ところでこの時代、ヨーロッパが「絶対主義時代」から「自由主義時代」へと移行したことは、Ａ　Ａ圏にも少なからず影響を及ぼすことになりました。

その影響はヨーロッパからもっとも近いアフリカでもっとも大きく、東へ行けば行くほど小さくなり、東アジアへの影響は次時代に持ち越すことになります。

すでに、絶対主義時代の幕開けとともにヨーロッパ勢による「アフリカ進出」は始まっていましたが、当時の経済を支えていたのが「商業資本家」だったため領土的野心がなく、アフリカ大陸の沿岸地帯に"貿易拠点"を作って満足していました。

ところが、産業革命勃発以降、経済の担い手が「産業資本家」へ移っていくと、彼らは血眼になって「市場」を求め、その標的のひとつになったのがアフリカ大陸でした。

こうして「アフリカ分割」は産業革命と連動して始まり、植

（＊17）「自由」「平等」「博愛」をスローガンとした革命精神のこと。

民地としてのアフリカの可能性を探るためぞくぞくと探検家を送り込みはじめます。

　こうしてイギリスがまず目を付けたのが「インドへの中継基地」として**ケープ**であり、これをオランダから奪い取って、次時代（近代 第2段階）以降、これを足掛かりとしてアフリカ分割を本格化させていくことになります。

》　オスマン帝国、「滅亡へのスパイラル」2周目

　オスマン帝国は、前時代（近世 第3段階）が「滅亡へのスパイラル」の"1周目"に当たることはすでに述べましたが、この時代はその「滅亡へのスパイラル」"2周目"に当たります。

　前時代にオスマンはその弱体ぶりをさらけ出してしまったことで、ロシアからの圧力が強くなります。

　それがこの時代に第6次・第7次 **露土戦争**[18]となって現れ、それぞれ**キュチュク＝カイナルジ条約**（1774年）・**ヤッシー条約**（1792年）で屈辱を味わわされます[19]。

　こうした現実を前にして「やはり近代化せねばならん！」と2回目の近代化が始まります。

　これを時の皇帝**セリム3世**の名を取って「**セリムの新制**[20]」と言いますが、彼は「スレイマン大帝以来の賢帝」と

（＊18）露土戦争はさまざまな数え方がありますが、本書では11回で数えたときの「第6次」と「第7次」です。詳しくは本幕コラムにて。

（＊19）オスマン帝国は何かとフランスと関わりの深い国ですが、奇しくもキュチュク＝カイナルジ条約はフランスでは「ルイ16世が即位」した年、ヤッシー条約は「フランス革命戦争が勃発」した年で、まさにフランスが革命への泥沼へ突き進んでいたころと一致します。

（＊20）トルコでは「ニザーミ＝ジェディード（新制）」と呼ばれています。

讃えられるほどの名君でしたから、こたびの近代化は成功するか——に見えました。

しかし結果は、やはり"歴史の流れ"には何人（なんぴと）たりとも抗（あらが）えない——ということを証明しただけでした。

彼の才覚を以（もっ）てしても、すでに衰勢に入った帝国を揺り戻すこと叶わず、いつの世にもどこの国にもいる"抵抗勢力[*21]"によって殺され、近代化は失敗に終わります。

≫　ムガール帝国、事実上の滅亡

こうしてオスマンが奈落の底へと転げ落ちていく中、ムガール帝国も衰亡の一途をたどります。

前時代までは英仏が争覇していたため、その矛先はムガールに向いていませんでしたが、それもイギリスが制した（1763年）ことで、この時代は一気にイギリスによるインド支配が進んでいくことになりました。

早くもその翌64年にはブクサールの戦でムガール帝国を破ってベンガル地方の支配を確固たるものとしたのを皮切りに、マイソール戦争（1767〜99年）・マラータ戦争（1775〜1818年）・ネパール戦争（1814〜16年）などによってインド支配を確立させます。

その間、ムガール帝国はイギリスから年金をもらって生活する「年金生活者（グーラカーニー）」に成り下がり、もはや「帝国」とは名ばかり。

自国領地を奪ったイギリスに保護してもらい、食べさせてもらう状態となって、すでにこの時点で実質的に「ムガール帝

（＊21）ここでは「イェニチェリ（オスマン帝国近衛兵）」が抵抗勢力となりました。

国」は亡んだといってよいでしょう。

しかし、名実ともに亡ぶには次時代を待たなければなりませんでした。

》　カージャール朝の統一

ところで、大国というものは、その隣接する国や地域を小国で固めようとします。

もしそこに小国があれば、その利権を奪い、発展を阻害し、自国の衛星国とします。

もし大国と国境を接するならば、大戦を起こしてこれを打倒しようとすることは稀で、通常、その間に小国を挟んでこれを緩衝地帯にしようとします。

```
■ 歴史法則21 ■
大国は自国と接する国・地域を小国で固めようとする。
隣接する国が小国ならその利権を奪って衛星国化し、
大国なら小国を挟んで緩衝地帯にしようとする。
```

このオスマン・ムガール両帝国に挟まれたイランが、いつも両国と相反する動きをするのはそのためです。

両帝国が隆盛期にあるときはこれに攻め立てられ、利権を奪われて衰退し、両帝国が衰えるとその間隙を縫って発展することを繰り返してきましたが、今回もご多分に漏れず、オスマン・ムガール両帝国が衰亡していく中、力を付けてきたのがカージ

ャール朝[*22]でした。

　ただし、歴史にはさまざまな要素（ファクター）が複雑に絡みあいながら、それらが鍔迫り合いや綱引きをしながら動くものです。

　上のような理由でイラン発展の要素（ファクター）はありましたが、その一方で大きな"歴史の流れ"という観点から見れば、イスラーム世界全体が衰勢に向かう"流れ"の中にあって、カージャール朝だけがその流れに逆らうことはできません。

　こうして"発展のベクトル"と"衰退のベクトル"が鬩ぎ合い、生まれたばかりのカージャール朝に勢いがあったのは初代皇帝アーガー＝ムハンマドの存命中のみ、この時代の末にははやくもロシアに攻められて[*23]衰勢に入ります。

　》　清朝、ついに"三世の春"から"秋"へ

　前時代に"三世の春"と謳われる絶頂期を経験した清朝でしたが、この時代から"秋（停滞期）"を迎えることになります。

　この時代（近代 第1段階）は、乾隆帝（チェンロン）の晩年から嘉慶帝（ジャチン）（第7代）の時代にかけてですが、"三世の春"も乾隆帝（チェンロン）晩年にはすでにあちこちに綻びが出ていました。

　「繁栄と腐敗」は"ふたつでひとつ"です[*24]。

（＊22）イランは、近世（1500年ごろ〜1770年ごろ）に**サファヴィー朝**（1501〜1736年）が、近代（1770年ごろ〜1914年）に**カージャール朝**（1779〜1925年）が、そして現代（1914年〜）に**パフレヴィー朝**（1925〜79年）が展開、「近世」「近代」「現代」と大きく歴史がうねるごとにその時代を代表する王朝が交替していることがわかります。

（＊23）第1次 **露斯（ロシア・イラン）戦争**（1804〜13年）。**ゴレスターン条約**でカフカス山脈南部を喪失。

（＊24）「歴史法則10」（p121）を参照。

永きにわたる繁栄こそが帝国を隅々まで腐敗させる温床となり、それがこの時代になって一気に噴出しはじめます。

官僚は汚職にまみれ、その頂点に君臨する**軍機大臣・和珅**などは横領・収賄の限りを尽くして私腹を肥やし、その財は清朝の国家予算の15倍もの額に達していたといいます[*25]。

当然、そのしわ寄せは民衆にのしかかるため、彼に対する民衆の怒りは「**白蓮教徒の乱**（1796〜1804年）」となって爆発しています。

そしてこの叛乱こそが、オスマン帝国における「第2次ウィーン包囲」となって、以降、清朝は衰亡の一途をたどっていくことになります。

ただし、まだこのころはヨーロッパの影響はほとんどなく、たとえばイギリスは、乾隆帝晩年（1793年）に**マカートニー伯爵**を派遣して清朝を新たな市場にしようと目論んでいますが、乾隆帝の一喝の前に取り付く島もなく追い返されています。

≫　江戸時代後期

この時代の日本は「**寛政の改革**（1787〜93年）」が実施された時期に当たり、同時に欧州列強の"魔手"が日本にまで届き始めたころです。

とはいえこの時代はまだ、欧州が起こした侵掠の津波はアフリカ大陸が防波堤となって大波に弱まり、イスラームが消波堤

（*25）東アジアに君臨し、その絶頂期にあった清朝の「国家予算の15倍」というのですから、当時「世界一の金持ち」であったことは間違いありません。
日本がいかに汚職天国といっても、さすがに国家予算レベルの汚職はないでしょうから、なんでもスケールの大きい中国、「悪行」ひとつ取ってみても桁違いです。

となって小波に弱まり、清朝が堤防となってこれを防いでくれる形となっていましたから、そのおかげで日本は、時の将軍・徳川家斉（＊26）が幕政もそこそこ大奥に入り浸ってせっせと50人以上もの子を生すことに没頭し、“オットセイ将軍”などと揶揄されるような為体でも事なきを得ています。

ヨーロッパからの接触は始まっていたとはいえ、まだ帝政ロシアが北からちょっかいをかけ始めた程度。

具体的には、1792年に「漂流民（＊27）を帰国させる」という名目でＡ.ラクスマンを、1804年にＮ.レザノフを派遣してそれぞれ通商を要求しています。

それも日本が拒絶すれば退く程度のもので、やがてナポレオン戦争が始まると、ロシアは日本にかまける余裕もなくなったため、この時代の日本は“泰平”を楽しむことができました。

しかし、それも束の間。

次時代からは前半はイギリス、後半はアメリカの干渉が厳しくなり、特にアメリカの圧力が強まったころから、いよいよ日本も動乱の「幕末」へ入ることになります。

》　欧州列強の進出とアジアの衰退

こうして歴史を大きく俯瞰してみると、欧州列強がアジア圏への圧力を強めてきたその絶妙のタイミングで、これを受けて

（＊26）その在任期間たるや、なんと50年（1787～1837年）で、これは鎌倉・室町幕府もすべて合わせた歴代将軍の中でも最長。
　　　　ただし、彼の治世のうち「大御所時代（1818～41年）」は次時代に入ります。
（＊27）伊勢の廻船問屋だった大黒屋光太夫、以下3名。

立たなければならないアジア諸国が一斉に衰退期に入っていることがわかります。

　よくこの因果を勘違いして、「18世紀以降のヨーロッパの侵掠に対してアジア諸国がつねに劣勢にあったのは、すべてにおいてアジアが欧州(ヨーロッパ)より劣っていたからだ」と説明されることが多い。

　たとえば、政治面では欧州(ヨーロッパ)が先進の「民主制」だったのに対してアジア圏が時代遅れの「専制」、経済面では欧州(ヨーロッパ)がすでに「産業革命」を興していたのに対してアジア圏はいまだ旧態依然とした手工業。

　さらに軍事面では、欧州(ヨーロッパ)が重火器や蒸気船など最先端兵器を揃えていたのに対してアジア圏は昔ながらの刀弓に帆船で、「先進と時代遅れ(アナクロ)」「文明と野蛮」「優等と劣等」「正と邪」がぶつかったが故に、アジア諸国はどんな大帝国もひとたまりもなく欧州(ヨーロッパ)に敗退し、呑(の)み込まれていったのだ、と。

　しかし、こうした説明はまったくの誤りです。

　欧州(ヨーロッパ)に攻め立てられた結果、アジアが衰退していったのではありません。

　アジアが衰退期に入ったそのタイミング(＊28)で欧州(ヨーロッパ)が攻め込んできたためにアジア諸国は劣勢になったにすぎません。

　因果がまったく逆です。

　細々とした小さな事象にばかり囚(とら)われて歴史を大きく把(とら)える努力を怠っているから、こうした根本的誤りを犯してしまいます。

　歴史というものは、まず「大きく把(とら)え」てから「小さきを理解する」という学び方の手順を忘れてはなりません。

（＊28）ヨーロッパにとっては最高の、アジアにとっては最悪のタイミング。

露土戦争・墺土戦争の数え方

　露土戦争は何度も交わされているため、その数え方にいくつもの異説がありますが、本書で採用しているのは以下のとおり。

・第 1 次 露土戦争：1568〜1570年
・第 2 次 露土戦争：1676〜1681年
・第 3 次 露土戦争：1686〜1700年（大トルコ戦争の一部）
・第 4 次 露土戦争：1710〜1711年
・第 5 次 露土戦争：1735〜1739年（墺露土戦争の一部）
・第 6 次 露土戦争：1768〜1774年
・第 7 次 露土戦争：1787〜1791年
・第 8 次 露土戦争：1806〜1812年
・第 9 次 露土戦争：1828〜1829年（ギリシア独立戦争と連動）
・第10次 露土戦争：1853〜1856年（クリミア戦争と連動）
・第11次 露土戦争：1877〜1878年

　墺土戦争も同様で、本書で採用しているのは以下のとおり。

・第 1 次 墺土戦争：1526〜1552年（第1次ウィーン包囲）
・第 2 次 墺土戦争：1566〜1568年（シゲトヴァール包囲）
・第 3 次 墺土戦争：1593〜1606年
・第 4 次 墺土戦争：1663〜1664年
・第 5 次 墺土戦争：1683〜1699年（大トルコ戦争の一部）
・第 6 次 墺土戦争：1716〜1718年
・第 7 次 墺土戦争：1737〜1739年（墺露土戦争の一部）
・第 8 次 墺土戦争：1788〜1791年

　他書を参照する際は、回次にご注意ください。

第2幕（1815〜1870年ごろ）

自由主義時代（後期）

＜近代 第2段階＞

産業革命と自由主義精神が全欧に拡がり、
革新と保守が鎬を削って相争う時代

近代 第2段階の歴史大観

（1815〜1870年ごろ）

　この時代は、すでに前時代（近代 第1段階）にナポレオンが歴史に新風を吹き込んでいたのに、そうした歴史の流れに逆う「ウィーン体制」を築いた時代。

　そうした歴史の摂理に反した努力が徒労に終わると、いよいよ覚悟を決めて新時代を迎える準備に入る。

　一方、産業革命が普及したことを背景として、Ａ　Ａ圏は彼^{アジア}^{アフリカ}らの本格的侵寇を受けることになり、アフリカ大陸にはさかんに探検家が送り込まれて分割が本格化し、オスマン帝国とカージャール朝は解体の一途をたどり、ムガールはついに滅亡。

　中国（清朝）もついに「**アヘン戦争**」「**アロー戦争**」と英仏の直接攻撃を受けて後退をはじめ、日本はこれを見て狼狽、倒幕運動へとつながっていった。

近代 第2段階の歴史展開

（1815〜1870年ごろ）

　前時代（近代 第1段階）の後半、全欧を巻き込んで旋風を起こしたナポレオンが1815年、ついに倒れます。

　列強諸国はウィーンに代表を送り込み、フランス革命勃発以前の旧い国際情勢（ウェストファリア体制）に戻そうと努力し始め

る（ウィーン会議）。

　しかしこうした“歴史の流れ”に反した動きはかならず歴史によって抹殺されることを我々はさんざん見てきました。

　ましてや、ナポレオン亡きあと、彼が広めた「自由^{リベルテ}」「平等^{エガリテ}」「博愛^{フラテルニテ}」の精神が芽吹き、人々は新時代の幕開けを見てしまっています。

　こうして、ウィーン体制を護ろうとする「体制派」と、これを壊して新時代を切り拓こうとする「ナショナリズム運動^(＊01)」の鬩^{せめ}ぎ合いが33年にわたって巻き起こることになります。

》　ウィーン体制期

　この時代の欧州^{ヨーロッパ}は、大きく上半期「ウィーン体制期」と下半期「国民国家形成期」に分かれ、ウィーン体制期はさらに4段階に分けられます。

■ 第1期（1815～19年）：体制盤石期

　ナショナリズム運動は起こる（ブルッシェンシャフト運動・ピータールー虐殺事件）もののことごとく鎮圧され、体制側が盤石だった時期。

■ 第2期（1820～30年）：体制動揺期

　西欧において、一時的ながらナショナリズム運動の成功例（ス

（＊01）「ナショナリズム運動」とは、ウィーン体制に逆らう動き全般を指します。したがって国によって立憲運動・統一運動・独立運動など、さまざまな形を取って現れます。他書では「Nationalism」を「国民主義」「民族主義」「国家主義」などと訳し分けていますが、「Nationalism」はこれに対応する日本語が存在しないため、敢えて日本語に訳すべきではないとする考え方があります。それに倣い、本書でも訳さずそのままカタカナ表記しています。

ペイン立憲革命）が出はじめ、東欧においては完全な成功例（ギリシ
ア独立戦争）が生まれて体制側に綻びが生まれた時期。

■ 第3期（1830〜48年）：体制崩壊期

　西欧においてもナショナリズム運動が成功（七月革命）し、そ
の影響が全欧に拡がっていき（ベルギー独立運動・ポーランド独立運
動・ハンガリー独立運動・ドイツ立憲運動・イタリア立憲運動）、体制側が
崩壊しはじめた時期。

■ 第4期（1848〜49年）：体制消滅期

　完全にウィーン体制が消滅（二月革命）し、その影響が全欧に
拡がっていった（諸国民の春）時期。

　人がどれほど「古き佳き時代」に恋い焦がれようと、すべて
を擲ち、全霊を以て努力しようと、歴史を巻き戻すことなどで
きません(*02)。

　ウィーン体制期は、そうした真理をまったく理解できない者
たちによって"流されなくてもよかった血"が流されつづけた33
年間となります。

》　自由主義段階から帝国主義段階への過渡期（英仏）

　こうして「"旧体制"を維持することは不可能」ということ
が明白になった以上、これにしがみついていた者も好むと好ま
ざるとにかかわらず、新しい時代に向かって歩まざるを得なく
なります。

　したがって、ウィーン体制が崩壊してからの20年間（1850〜

（*02）「歴史法則14」（p176）参照。

70年ごろ）は新時代「帝国主義時代」へ"脱皮"するための過渡期となります。

　たとえばイギリスは、この時期「イギリス1000年の歴史」の中でもその絶頂期「Pax Britannica（1850〜70年代）」(*03)と呼ばれる時代にあたり、その強勢を背景として1839〜40年の「新四国同盟」を最後にどこの国とも同盟を結ばない「光栄ある孤立」を誇るようになります(*04)。

　さらには「植民地すら要らぬ！(*05)」というイギリス小英国主義が強まり、その一環として、手始めに1867年(*06)にはカナダを「植民地（ロニー）」という立場から「自治領（ドミニオン）(*07)」に格上げして支配を緩めるまでになりました。

　しかし、"絶頂期"というのは少し見方を変えれば、「破滅の跫音（あし）がすぐそこまで迫ってきている」ということです。

　イギリスが"我が世の春"を謳歌したのはこの時代いっぱいまで、次時代からは急速に崩れはじめた大英（ブリティッシュ エンパイア）帝国の屋台骨の補修に忙殺されることになり、これに対応するためにイギリスは帝国主義へと突き進んでいくことになります。

　フランスは、ちょうど政治的には「第二帝政（1852〜70年）」

（＊03）ただし、「Pax Britannica」の範囲は諸説あり、これはその狭義の場合。中義では「第一次世界大戦まで」、広義では「第二次世界大戦まで」含めて考える場合もあります。

（＊04）国が同盟を結ぶのは自国の弱点を補完するためです。圧倒的強者は同盟を結びません。

（＊05）イギリスの産業革命商品は、当時「世界一安くて品質のよい」ものだったため、何もしなくてもどんどん売れましたから、「莫大な軍事費用を垂れ流しながら植民地経営する必要性などない」という主張が生まれていました。

（＊06）まさに大政奉還が行われて徳川幕府が崩壊した年です。

（＊07）英王を国家元首とし、主権はあくまでイギリス本国にあるが、独自の政府・議会をもつことを許された半独立国。

のころ、経済的には産業革命の完成期に当たり、これが次時代の帝国主義の基盤となっていきます。

》 自由主義段階から帝国主義段階への過渡期（独伊）

未だに統一国家を形成できずに苦しんでいた独 伊は「このままでは新時代を迎えられない」と危機感を感じ、統一運動に邁進。

奇しくも、イタリアにはＣ.カヴールという天才が現れて天下を統一、「サヴォイ朝イタリア王国」を創った（1861年）かと思ったら、ドイツにはＯ.ビスマルクという天才が現れて天下を統一、「ホーエンツォレルン朝ドイツ第二帝国」創りあげ（1871年）、独伊両国がほぼ時を同じうして永年の分断時代に終止符を打ち、次時代を迎える準備に入ります。

》 自由主義段階から帝国主義段階への過渡期（露）

ロシアは、ちょうどアレクサンドル２世の治世（1855～81年）に当たり、ウィーン体制を護ろうと奮戦した先帝（ニコライ１世）の限界を悟り、新時代を迎えるため、農奴解放令（1861年）を発して産業革命に乗り出します。

こうしてヨーロッパはこの1850～70年ごろ、一斉に新時代たる「帝国主義時代」を迎えるための準備に入ったのでした。

》 欧米列強、ＡＡ圏への侵掠本格化

そしてそれは、各国それぞれ"お家事情"は違っても、外交においては皆"ＡＡ圏への侵掠"という共通の形となって現

れます。

　イギリスは、産業革命の完成を背景として、これを支える市場の獲得のため。

　フランスは、不安定な政治体制を外征で押し潰すため。

　■ 歴史法則22■
　国民の不満を逸らすため、政府への支持を集めるため、
　もっとも安易でもっとも効果のある方法が「戦争」。
　したがって政府は、往々にして国益のためでなく
　政府の保身のために戦争を起こすことがある。

　ロシアは、来たるべき産業革命時代に備えて、海外発展のための“不凍港_{アイスフリーポート}(*08)”獲得のため。

　そしてアメリカは、産業革命を支える鯨油獲得のため、捕鯨基地を確保するため。

》　アフリカ分割、暗黒大陸の深部へ

　産業革命が勃発したことを契機として、アフリカ分割が始まったとはいえ、前時代まではその活動も大陸の北部・西海岸・南部といった部分的な分割に留まり、まだまだ限定的なものでした。

　しかし、この時代に入るとその傾向に変化が生まれます。

　産業革命が進展してきたことに伴い、その担い手である産業資本家の発言権が高まってくると、彼らが支援者_{スポンサー}となって啓蒙_{イル}

（*08）冬になっても氷が張らない港のこと。

主義者や人道主義者らを盛んに煽り、「奴隷解放！」を叫ばせるようになったことが原因です。

産業資本家がそうした動きに出たのは、別段、奴隷に同情したからというわけではありません。

奴隷貿易で荒稼ぎしていたのが商業資本家だったためです。

商業資本家は、産業資本家にとって"目の上のたんこぶ"でしたから、その"たんこぶ"どもの"ドル箱（奴隷貿易）"となっていた収入源を断ち、彼らを追い落とすことで、自分たちが彼らに取って代わって政界に乗り出そうとしたためです。

純粋に彼らの政治的野心を満たすためでした。

こうした産業資本家によるロビー活動（＊09）が功を奏し、「奴隷解放」の輿論が高まったことで、ついにウィーン会議（1815年）では「奴隷貿易廃止」の原則が確認されるまでになります。

この決議が契機となって、各国はぞくぞくと「奴隷解放」「奴隷貿易禁止」へと向かったため、商業資本家たちは早急に奴隷貿易に代わる新たな"金の成る木"を探さなければならない必要に駆られます。

そこで、それまで「暗黒大陸」と呼ばれ、ヨーロッパ人にとってまったく未知の領域だったアフリカ大陸深部に目を付け、ここに新しい"儲け口"を見つけ出すため、彼らが支援者となって多くの探検家が大陸深部に送り込まれるようになり、この時代に一大「アフリカ探険ブーム」が巻き起こります。

有名な Ｄ．リヴィングストン博士や Ｈ．Ｍ．スタンリー卿もこのころの探検家です。

（＊09）陳情したり、デモを煽動したり、輿論を操作したり、あらゆる裏工作を講じて自己の利益をはかろうとする行為。

すなわち彼らは、「探検家」といえば聞こえはいいですが、本質的には"侵掠の尖兵"だったわけです。

この時代までは部分的な分割に過ぎなかった「アフリカ分割」が次時代に入るや、分割スピードを急加速して全大陸規模となる、その前提条件がこうして整いました。

≫　アメリカ合衆国、統一と捕鯨

合衆国(アメリカ)は欧州(ヨーロッパ)がウィーン体制期にある中、「マニフェスト・ディスティニー(明白なる天命)」のスローガンの下、西へ西へと膨張戦争に邁進しています。

それが完成(西海岸に到達)(＊10)したのがちょうどウィーン体制が崩壊した1848年で、以降は欧州(ヨーロッパ)と連動するようになります。

すなわち欧州(ヨーロッパ)では——

・産業革命が進展してない国は産業革命を進展させ、

・統一国家がない国は天下統一を推進し、

こうして各国は次時代に備えていましたが、当時の合衆国(アメリカ)は外から見れば統一国家のようでありながら内には「北部(ノーザン)」と「南部(サザン)」の対立が修正不能にまで陥って分裂状態であり、また、すでに産業革命は生まれていましたがいまだ完成期に入っておらず——という中途半端な状態でした。

そういう政治経済の情勢の中、その南北対立は「南北戦争(シビル ウォー)」となって結実し、名実ともに天下統一を達成すると、つぎに産

（＊10）1846〜48年の**米墨戦争**で**カリフォルニア**などを奪取し、ここにおいて合衆国は、北米の東海岸から西海岸までを制覇することに成功しました。ただし、ここまではインディアンやメキシコから土地をかすめ取ることを重視して植民が進んでいませんでしたので、それが完了するのは1890年代となります。

業革命を推進していくことになります。

　まだ石油採掘技術が確立されていなかった当時、産業革命には「鯨油」が必須。

　そこで西海岸から太平洋に向けて**捕鯨**に乗り出すや、このときの合衆国（アメリカ）は"限度"というものを知らぬめちゃくちゃな濫獲を行ったために鯨が絶滅危惧種となってしまい^{（＊11）}、そのことが現在に至るまでの捕鯨問題を生むことになります。

　》　　オスマン帝国、「滅亡へのスパイラル」3周目

　こうした欧米の活発な動きに対して、イスラーム世界は衰勢の一途をたどります。

　イスラーム世界最強だったオスマン帝国も、「滅亡のスパイラル」3周目に突入します。

　スペイン立憲革命に触発されて、1821年、帝国領内で**ギリシア独立戦争**が勃発するや、オスマン帝国はいいところなく敗走を重ね、ついに**アドリアノープル条約**（1829年）で自治を、翌30年の**ロンドン条約**で独立を認めさせられました。

　時の皇帝**マフムート2世**は人生を賭けて近代化（マフムートの新制）を推進していましたが、1830年代には埃土（エジプト・トルコ）戦争に連戦連敗し、敵軍が帝都（イスタンブール）に肉薄してまさに帝都陥落の危機にあったその最中、帝（マフムート2）は志半ばで失意のうちに病没してしまいます。

（＊11）現在、世界中で情報操作が行われ、さも「日本人が鯨を絶滅危惧種に追い込んだ」ように喧伝されていますが、実際にはこのときのアメリカの濫獲が原因です。一般大衆は、その事実を隠蔽するためにアメリカによって作られたプロパガンダに騙されているにすぎません。歴史に無知であることはこれほどに罪深い。

276

≫　オスマン帝国、「滅亡へのスパイラル」4周目

　こうしたまさに"帝国存亡の機"の真っただ中で即位したのが**アブドゥル゠メジト1世**です。

　しかしこの時、彼はまだ16歳。

　国家が"危急存亡の秋(とき)"にあって幼帝[*12]や愚帝が即位することは滅亡に直結します。

　もしここで佞臣(ねいしん)・奸臣(かんしん)が帝権を我が物として専横すればこのまま一気に帝国は滅亡、忠臣がこれを支えればまだ持ち堪(こた)えることもあります。

　このとき幼帝を支えることになったのが外相の**ムスタファ゠レシト゠パシャ**でした。

　幸いにも彼は忠臣でしたから、オスマン帝国の命脈はもう少し先に延びることになります。

　彼は新帝(アブドゥル゠メジト1)が即位するや否や、御宸筆(ごしんぴつ)[*13]として「**ギュルハネ勅令**」を発布、ただちに4度目の近代化「**タンジマート**[*14]」に入ります。

　これはこれまでオスマンが経験してきた近代化[*15]とは一線を画し、行政・立法・司法・徴税・軍事・文化・教育に至る大規模かつ長期(37年間)に及ぶ、まさに"帝国の威信"を賭けた近代化で、帝国の本気度と危機意識が窺(うかが)えるものでした。

(*12)「(一般的には18歳未満の)子供の皇帝」のこと。ただし、年齢の定義は曖昧。

(*13) 皇帝直筆のこと。もちろん嘘ですが。

(*14)「タンジマート゠イ゠ハイリエ」の略称。タンジマートは「改革(再編成)」、ハイリエは「恩恵」の意。すなわち「皇帝陛下の恩恵によって実施される改革」という意味。

(*15) チューリップ時代・セリムの新制・マフムートの新制のこと。

しかしそれは逆にいえば、もしこれに失敗するようなことにでもなれば、もはや帝国の命脈は尽きることを意味します。

》　ムガール帝国の滅亡

　ムガール帝国がこのころすでに「帝国（グーラカーニー）」の体を成しておらず、イギリスから年金をもらって生計を立てているだけの存在となっていましたので、イギリスは着々とインド支配を拡げていった時代となります。

　すでに前時代、ベンガル地方を中心として「西の防衛戦（バリア）」が完成していましたので、この時代に入ると「東の防衛戦（バリア）」構築に入り、第１次英緬戦争（イギリスビルマ）（1824〜26年）を、さらに西に第二防衛戦（バリア）を構築するためにシーク戦争（1845〜49年）を起こしてインド支配を“ほぼ完成”させました。

　しかし、「画竜点睛を欠く」とはまさにこのこと、ひとつ虫喰いのような“穴（ムガール帝国）”が残ります。

　こうしてイギリスは、スィパーヒーの乱が起こったことを口実としてこれを名実ともに亡ぼし（1858年）、インド支配を完成させました。

》　カージャール朝の黄昏（たそがれ）

　前時代に生まれたばかりのカージャール朝でしたが、“歴史の流れ”には逆らえず、この時代にははやくも衰えはじめます。

　東からはインド支配を完成させたイギリスが虎視眈々。

　西からのオスマン帝国の圧力は減退したものの、

　北からはロシアが前時代に引きつづきふたたび侵寇[*16]して
きて不平等条約[*17]を結ばされます。
　内には、排他的・過激な新興宗教「**バーブ教**」の信者が叛
乱[*18]を起こし、カージャール朝は内憂外患に悩まされ、衰
退していきました。
　そして、次時代に入ると一気に崩壊が始まることになります。

≫　阿片戦争とアロー戦争

　このように、この時代以降、欧米列強はそれぞれのお家事情
からＡＡ圏への侵掠を本格化させていきましたが、その最悪
のタイミングで中国は衰退期に入っていったのは、中国にとっ
て不運でした。
　前時代（近代 第1段階）、清朝はすでに盛りを過ぎていましたが、
それでもイギリスごときがグダグダ吐かした[*19]ところで、そ
んなものは鎧袖一触、取り付く島すら与えなかったものです。
　しかし、イギリスはその後も諦めることなく、皇帝が代わる
たびに辛抱強く使節を送りつづけていました。
　嘉慶帝のころには、　Ｗ.アマースト（1816年）。
　道光帝のころには、　Ｗ.ネイピア（1834年）。
　しかし、彼らは皇帝に謁見することすら叶わず追い返されて

（＊16）第2次露斯（ロシア・イラン）戦争（1826〜28年）。
（＊17）**トルコマンチャーイ条約**。アルメニアを奪われ、関税自主権を放棄させられ、
　　　　領事裁判権を認めさせられました。
（＊18）1848年、**バーブ教徒の乱**。
（＊19）使節**マカートニー**を派遣して貿易拡大の要求をしたこと。

しまった[*20]ため、ついに堪忍袋の緒を切らせたイギリスは強硬手段に打って出ます。

それが「阿片戦争（アヘン）」です。

さらに、次の咸豊帝の御世には「アロー戦争」が起こり、この二連発の敗戦によって清朝は急速に縮小・衰退していき、次時代の「滅亡」へ向かって転げ落ちていくことになります。

》　日本も“世界史”の渦に巻き込まれ始める

前時代からすでにロシアの圧力が始まっていたものの、なんとか大事なくこれを切り抜けていた日本でしたが、この時代に入ると、今度はロシアに代わってイギリスが盛んに日本に来航するようになってきました。

すでに前時代にも英艦フェートン号が長崎で蛮行の限りを尽くしています[*21]が、これはあくまで単発的なもので、本格的な接触はこの時代から始まります。

そこで幕府は1825年、「無二念打払令（うちはらい）」を発し、外国船に対しては「見かけたら問答無用で討ち払うべし！」という強硬な姿勢で臨みましたが、やがて阿片戦争（アヘン）（1840〜42年）で清朝が大敗するのを見るや、朝令暮改、その年（1842年）には早くも「薪水（しんすい）

（＊20）当時、皇帝に謁見するためにはかならずしなければならない「三跪九叩頭（さんききゅうこうとう）」という中国特有の礼拝を拒絶したため。これはイギリス人だからというわけではなく、当時「三跪九叩頭」をしない者は中国人であろうが誰であろうが皇帝に謁見することはできない規則でした。

（＊21）1808年のフェートン号事件。突然イギリス船がオランダ国旗を掲げて入港し、不法に湾内を航行したばかりか、オランダ商館員を拉致し、人質にして長崎奉行に薪・水・食糧を要求し、拒否した場合には「湾内の日本船を焼き払う」と脅す蛮行ぶりでした。

給与令$^{(*22)}$」を発しています。

　清朝がいいところなく敗れたことは、それほどに幕府に衝撃を与えたということでしょう。

　しかしそのおかげ(？)でイギリスは清朝に忙殺されるようになり、かえって日本への圧力がなくなります。

　しかし今度は、イギリスに代わってアメリカの圧力が強くなってきます。

　ちょうどこのころ、彼らは西海岸まで到達し、捕鯨をしながら太平洋を横断して日本近海までやってきていたためです。

　1846年には Ｊ.ビッドルが、53年・54年にはＭ.ペリーが、56年には Ｔ.ハリスが来航して、「清朝の二の舞になりたいのか？」と恫喝するなど、これまでにないほど強い姿勢で開国を迫ってきました。

　清朝の敗北に衝撃を受けていた幕府がこれに屈したことは、幕府の威信を大いに傷つけることなり、その混乱の中で滅亡、明治維新へとつながっていくことになります。

（＊22）「外国船を見かけたら薪や水くらい与え、穏便に帰ってもらうように」というもの。

新しいモノを生めなくなった業界の末路

「発展期」にはつぎつぎと新しいモノ・アイディアが生まれ、それが生まれなくなったとき「衰退期」に入る。

そして、そのタイミングでかならず旧きに代わるまったく新しいシステムが生まれてくるのは、もう揺るぎがたい「鉄壁の歴史法則」です。

身近な例を挙げれば、テレビ業界。

昭和のころは、次から次へと新しいアイディアの番組(プログラム)が生まれていましたが、これはテレビ業界が「発展期」にあったことを示しています。

ところが、次第に番組制作がマニュアル化されてこれに頼り切るようになり、平成のころから急速にマンネリ化して新発想の番組がめっきり少なくなっていきます。

そうなってしまった業界はその時点ですでに"死に体(オワコン)"です。

しばらくは過去の栄光をまとい、過去の遺産を食い潰すことで表面的には栄華を誇っているように見えますが、じつはすでに"死へのカウントダウン"が始まっています。

こうしてひとつのコンテンツが"死に体(オワコン)"となったとき、かならずこれと入れ替わりに次世代(ネクステイジ)を担うまったく新しいコンテンツが生まれているものなのです。

この場合、それこそが「インターネット」です。

新聞が瓦版(かわらばん)を亡きものとし、テレビがラジオを舞台の隅に追いやったように、テレビがネットに駆逐されていくのは、何人(なんびと)たりとも抗(あらが)うことのできない"歴史的必然"なのです。

第3幕（1870〜1914年ごろ）

帝国主義時代

第21章

＜近代 第3段階＞

米独から第2次産業革命が勃発したことで
歴史は新しい段階「帝国主義時代」に入った

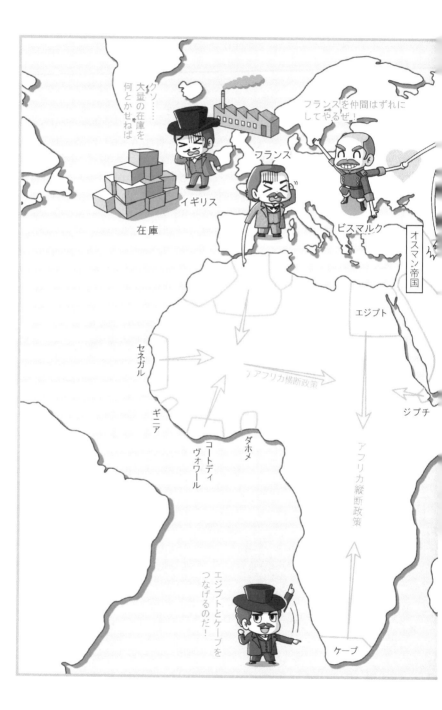

近代 第3段階の歴史大観
（1870〜1914年ごろ）

　1870年代、ついに産業革命は新しい段階に突入し、「**第2次産業革命**」が勃発する。

　これを契機として、欧米列強によるＡＡ圏（アジア アフリカ）への侵掠（しんりゃく）はこれまでのものとは比較にならないスピードと規模で熾烈を極めるものとなる。

　前段階までは部分的だった分割・植民地化は、ＡＡ圏（アジア アフリカ）の隅々にまで及び、それでも足りず、ついに欧米列強同士の共食いが始まった。

　これに対して、**オスマン帝国**と**カージャール朝**は蚕食（さんしょく）されて風前の灯火（ともしび）となり、清朝は新興の日本にすら敗れて（**日清戦争**）ついに300年の歴史に幕を閉じることになる。

近代 第3段階の歴史展開
（1870〜1914年ごろ）

　組織やシステムなど物事には発展段階というものがあり、通常、「成立期 → 発展期 → 完成期 → 衰退期 → 消滅期」という段階を踏んで盛衰していくものです。

　その「発展期」においてはつぎつぎと新しいものが生まれて活況を呈しますが、これが生まれなくなると「完成期」に入って、

ただ既存のものから上がる収益を吸い尽くしていくだけの時代となり、やがて次時代（ネクステイジ）を担うまったく新しいコンテンツが生まれると「衰退期」に入ります[*01]。

> ■ 歴史法則２３■
> 組織・システムなど、物事の発展段階において、
> 「発展期」には新しいアイディアが次々と生まれ、
> 「完成期」にはこれが生まれなくなり、
> 次時代（ネクステイジ）を担う新コンテンツが生まると「衰退期」に入る。

もちろん、こうした原則は「産業革命」とて例外ではありません。

» イギリス産業革命の絶頂期

1770年代、世界で初めてイギリスから「産業革命」が興（おこ）りましたが、それはすさまじい衝撃（インパクト）となって歴史の段階を一歩進めた[*02]ことはすでに見てまいりました。

以来、自由主義段階[*03]を順調に成長してきた産業革命でしたが、何事も“未来永劫”ということはあり得ず、いよいよそれも1850年代に成熟してきます。

それまでイギリスでは、つぎつぎと新しい発明・発見が生まれ、それが産業革命の発展を支えていたのに、1850年代に入る

（＊01）詳しくは、前幕コラム参照。
（＊02）絶対主義段階から自由主義段階へ。
（＊03）年代でいえば「1770年代〜1870年代」。歴史の時代区分でいえば「近代」。

と、それまでの成果から上がる収益を喰い潰して"繁栄"を謳歌する時代となります。

　それは、歴史の本質を見極める眼を持たない者にとっては"繁栄"しているように見え、人々はこれを「Pax Britannica」と讃えたりしますが、本質的には「燃え尽きる直前の蠟燭の炎」同様、"死"は刻々と迫っている状態と言えます。

》　第2次産業革命の勃発

つまり。

　歴史法則に照らし合わせれば、こんな"見せかけの繁栄"など、新時代を担う「新しいコンテンツ」が現れれば、たちまち崩壊する程度の殆ういものだということです。

　そしてそれは、1870年代に 米 独に生まれ落ちました。

　これにより、イギリスの謳歌はわずか20年ほどで終わりを遂げます。

　米 独といえば、前時代（近代 第2段階）いっぱいまで国内分裂に頭を抱え、その解決（＊04）に忙殺されて、産業革命において大きく後れを取っていた"産業革命後進国"でしたが、そうであるがゆえにここから生まれたものが「第2次産業革命」です。

　第1次産業革命は「絶対主義時代から自由主義時代へ」と歴史を1段階進めましたが、第2次産業革命の衝撃はそれ以上で歴史段階を「自由主義時代から帝国主義時代へ」と進めたばかりではなく、A A 圏にとっては"史上最大の災厄"となって襲いかかる結果をもたらします。

（＊04）アメリカは「**南北戦争**」、ドイツは「**ドイツ統一戦争**」。

≫　産業革命、「第1次」と「第2次」の違い

　ちなみに、第1次産業革命は「重たい**石炭**と重たい水(＊05)を満載した重たい**鉄**でできた**蒸気機関**」を動力源としていましたから、せいぜい鉱業では排水ポンプを、産業では織機・紡績機を、運輸では車（機関車）・船（蒸気船）を動かすのが精一杯で、必然的に**軽工業**（繊維工業）という一産業部門に限られたものにすぎませんでした。

　しかし、今回の第2次産業革命は違います。

　「軽い**石油・ガス**をエネルギー源として**軽金属**でできた、エネルギー効率の高い**内燃機関**(＊06)」を動力源とするようになったことで、これにタイヤを付ければいちいちレールなど敷かなくとも悪路をガンガン走る**自動車**ができあがり、これに翼とプロペラを付ければ空だって飛ぶ**飛行機**(＊07)、その他、ありとあらゆる産業機械に利用することが可能になっていきます。

　自動車が生まれれば、労働者は鉄道沿線から遠いところにも住むことが容易となり、さらに「電気で動く電動機（モーター）」の発明によって、今まで工場が造れなかった僻地（へきち）にも工場を造ることが可能になりました(＊08)から、工場の立地条件が大きく拡がりました。

　石油を採るために重工業が発達し、石油が採れるようになれ

（＊05）蒸気機関は、石炭を燃やした熱で水を沸騰させ、その蒸気の力で動くものでしたから、大量の水と石炭がどうしても必要です。

（＊06）蒸気の力に頼ることなく、ガスの爆発エネルギーを運動エネルギーに変換する機関。

（＊07）自動車も飛行機も、蒸気機関の出力では無理。

（＊08）蒸気機関の時代には、石炭の運搬コストを下げるため石炭採掘所からできるだけ近い場所に工場を建てる必要がありましたが、電気の場合は「運搬コストは実質的にゼロ（電線を敷くインフラ費用は必要）」になるため。

ば化学工業が発達し、第2次産業革命は重化学工業が中心となっていきました。

» ないものは奪え！

ところが、**自動車のタイヤを作るためのゴム**も、全産業分野に拡大した**機械の材料としての大量の鉄**も、**電動機（モーター）のコイルを作るための銅**も、**第2次産業革命を推進していく上で必要欠くべからざる資源がヨーロッパではほとんど賄（まかな）えません**（＊09）。

そうなれば、彼らが取る行動はひとつ。

—— ないものは奪え！ ——

これこそがヨーロッパ人という民族が生まれて以来の、彼らにとって揺るぎなき不滅の行動規範（エートス）にして金科玉条。

彼らは4000年間連綿とそのやり方で生きてきたし、そのやり方以外知らないし、たとえ知ったとしてもそこに向けて平和的に努力しようなど思いも及びません。

そもそも彼らの中に「掠奪（りゃくだつ）は悪」との認識すらありませんから、そこに罪悪感も迷いなど微塵もありません。

したがって、ただA A（アジア アフリカ）圏から掠奪することだけに一意専心することになります。

» 掠奪（りゃくだつ）を遂行するための掠奪

しかし、そうなるとまた次なる問題が。

（＊09）鉄などは採れないわけではないのですが、「大量にして安価」となるとそうはいきませんでした。

　それは、本土（ヨーロッパ）から侵掠対象（アジア）までがあまりにも遠すぎて、どうしても兵站（＊10）の維持が困難となってしまうということ。

　そこで新鮮な肉や野菜を前線に運ぶために瓶詰・缶詰（＊11）が重要な意味を持つようになりましたが、瓶詰の蓋としてコルクが、缶詰の錆止めとしてニッケル・亜鉛が必要になり、それらの産出国も侵掠の標的とされるようになります。

　すなわち、侵掠を遂行するためにさらなる侵掠が必要になる悪の連鎖を生んでいくことになりました。

　のみならず。

　第2次産業革命にそれだけ莫大な投資をしてしまった以上、もはや後戻りはできません。

　毎日毎日工場から吐き出される膨大な産業革命商品をつねに売りさばきつづけなければならず、ひとたび売れ行きが滞ったが最後、たちまち破滅が待ち受けていますから、彼らとて必死。

　もはや彼らは、Ａ　Ａ圏を“宿主（原料供給地・市場）”として、その“生き血（富）”を啜りつづけなければ生きていけない寄生虫と化しながら、宿主が死ねば自分も死ぬことにも気づかず、Ａ　Ａ圏の人々を従属させ、「劣等民族」と見下し、虐げつづける状態が生まれます。

　これが「帝国主義時代」の姿です。

（＊10）戦争に必要な物資（武器・弾薬・食糧・兵員・医療具など）を本国から前線まで送り込みつづけるための設備およびシステムのこと。

（＊11）瓶詰は、すでにナポレオン時代に実用化されていたものの、重い・割れやすいという難があったため、ウィーン体制期に缶詰が実用化されていきました。

» それは破滅への直滑降

しかしそうなると、また次なる問題——しかも解決不能にして致命的な問題が発生します。

それが"共喰い"です。

すでに述べたような社会的・経済的・政治的背景によって、ヨーロッパ列強が一斉に、目を血走らせながら遮二無二ＡＡ圏へ押し寄せることになれば、彼ら白人列強同士による"植民地争奪戦"が起こることは避けようもありません。

つまり、これまで「欧州 vs ＡＡ圏」という構図だったものが、この時代からは「欧州 vs 欧州」という"共喰い"構図へと移行していくことになります。

そして、ひとたび"共喰い"が始まったが最後、その先に待つものは「共倒れ」です。

つまり、18世紀以来のヨーロッパの栄華はすでにこの時点で"詰み"となり、あとは「破滅」まで"時間の問題"にすぎなくなったということを意味していました。

とはいえ、それはここで決定的となったのではなく、1770年代にイギリスが「産業革命」という"パンドラの壺"の蓋を開けた瞬間から、すでにこの"破滅への一本道"を歩み始めていたといってよいでしょう。

» ビスマルクの平和

しかし、この1870年代からただちにヨーロッパが"破滅の坂道"を転げ落ち始めるわけではありません。

じつは、それを20年にわたって食い止める人物が現れたからです。

その人物こそ、統一ドイツ初代宰相 O.ビスマルク。

数百年にわたる[*12]分裂時代にケリを付け、天下統一に導いた彼でしたが、その偉業に満足することなく、否、それどころか「ここからが出発点」と言わんがばかりに、精力的に国内問題の解決に乗り出し、さらにはドイツを一等国にのし上げるべく第2次産業革命を興して奮闘します。

したがって、彼は国内問題に全精力を注ぎたいのですが、そのためには、ヨーロッパが平和であってくれなければなりません。

三十年戦争のような全欧を巻き込むような戦争がヨーロッパで勃発し、ドイツがこれに巻き込まれることだけは避けねば。

特にフランスはドイツを目の仇にしていたため、これを黙らせることが第一命題。

そこで彼は一方の手で国内問題の解決に尽力しながら、もう一方の手でヨーロッパの国際外交を掌の上で転がして[*13]、その後20年（1871〜90年）にわたりヨーロッパに平和をもたらします。

この20年間を「ビスマルク時代」といい、その時代に彼が築き上げた国際秩序を「ビスマルク体制」と呼び、それによって維持された平和を「ビスマルクの平和」と呼ぶようになります。

ヨーロッパ史上、たったひとりの人物が国際秩序を構築したなど、後にも先にもこのビスマルクただひとりです。

（＊12）「大空位時代」のころから数えれば600年、"神聖ローマ帝国の死亡証書"といわれた「ウェストファリア条約」のころから数えても200年。

（＊13）第1次三帝同盟・独墺同盟・第2次三帝同盟・三国同盟・再保障条約などを結び、主にフランスを孤立化させることに注力しました。

» ヴィルヘルム2世の暴走

しかし。

天才が苦労して築き上げたものを、凡愚が一瞬で壊してしまうなどということはよくあること。

ひとりの"天才"が20年という年月をかけ、東奔西走して難産に難産の末、ようやく築き上げたこの「ビスマルク体制」は、彼の偉業をまったく理解できないたったひとりの"凡愚"によって完膚なきまでに破壊されることになるのでした。

その者こそ、独帝ヴィルヘルム2世。

彼は即位(1888年)するや、ビスマルクを煙たがり、これを更迭(1890年)して親政を開始。

自らの政治を「新航路[*14]」と称し、破滅への坂道を転がり落ちようとしていたヨーロッパ情勢を食い止めていた「ビスマルク体制」を片端から壊して回った[*15]のですから、このあとのヨーロッパ史は「破滅へと転げ落ちていく時代」となります。

» 第2次産業革命に出遅れたイギリスの対応

ところでイギリスは、米独が第2次産業革命に入ったことで"昨日"までの繁栄が夢か幻か、みるみる景気が悪化してい

(*14)ドイツの外交を船に例え、これまでのビスマルクの外交方針を「旧航路」、これから自分が行う外交方針を「新航路」として、ビスマルクとはまったく違う外交方針を以て臨むことを宣言したもの。

(*15)独露再保障条約を破棄してロシアを怒らせ、3B政策・艦隊法などを強行してイギリスを刺激し、エチオピアではイタリアを見棄てて三国同盟を形骸化させ、積極的な植民地獲得戦争に参入して「モロッコ事件」を起こして英・仏・露・伊を片端から敵に回していきました。

き、経済恐慌に襲われる（1874年）ことになります。

　これに狼狽したイギリスは、たちまち掌を返し、昨日までの「小英国主義」から打って変わって「植民地を棄てるなど言語道断！　これからは植民地に寄生し、植民地の富を吸い尽くすことで生き残りを懸けるべし！」という大英国主義が急速に力を付けてくるようになりました。

　これを強く主張した人物こそ、かの　B　.ディズレイリです。

》　ＡＡ圏植民地への対応の変化

　こうしてイギリスの植民地政策が「小英国主義」から「大英国主義」に転換したことで、植民地の支配を強化・拡大する方針となります。

　まず、インドに対しては「インド帝国（1877年）」を成立させ、その支配を完全なものとするや、その足で翌年には西隣のアフガニスタンに侵攻（＊16）してこれを保護国（1881年）とし、さらにここを橋頭堡としてさらに西のカージャール朝に利権拡大を図る。

　つぎに、アフリカではアラービーの乱（1881年）が勃発したのを口実に、その翌年にはエジプトを事実上の保護国とするや、すでに手に入れていた南アフリカとこれをつなぐ「縦断政策」に邁進するようになります。

　おなじころ「横断政策」に邁進していたフランスを「ファショダ事件（1898年）」で追い払い、「ブール戦争（1899〜1902年）」を実行して着実に駒を進めていったのも、すべては「縦断

（＊16）第2次アフガン戦争（1878〜80年）。

政策」がため。

しかし、さしものイギリスも、前述のようなアフリカ・西アジア・南アジアに対する積極的な植民地獲得政策に忙殺されて、この時代、さすがに中国にまでは手が回らず、中国への圧力は後退しています。

「義和団の乱(1900～1901年)」を鎮圧するための「八ヶ国共同出兵(＊17)」の際も、日本軍1万8000に対し、英軍はその1／3にも満たないわずか5800(＊18)。

しかも、その大部分はインド人(植民地人)で純粋なイギリス人部隊はわずか800という惨状。

中国への圧力を強める千載一遇のチャンスに、イギリスがたったこれっぽっちの兵力しか送り込めなかったのも、ちょうどこのころ「ブール戦争」に兵力を割かれて中国まで手が回らなかったためです。

》 白人植民地への対応の変化

ただし、こうした植民地への強圧的な動きはＡ　Ａ圏植民地におけるカラード有色人種に対してのみ。

往年の力を失い、もはやその力が及ぶ範囲はインドまで、中国にすら手が届かなくなっている状態で、このうえ白人系植民地(＊19)にまで叛逆されては、「北米13州に独立」された悲劇の再現となりかねません。

(＊17)日・露軍を中心として、米・英・独・仏・伊・墺軍を合わせた8ヶ国連合軍による義和団の乱鎮圧のための出兵。
(＊18)兵力は史料によってかなり誤差があります。
(＊19)カナダ・オーストラリアなど。

そのうえ、すでに「Pax Britannica」の時代、小英国主義が風靡していたためカナダを自治領（ドミニオン）にして支配をゆるめてしまっています。

一度ゆるめられた箍（たが）をふたたびキツく締め上げることは反発を招くだけですし、それどころか他の白人系植民地も「我も！」「我も！」と騒ぎ立てる有様でしたから、もはや抑圧は逆効果、むしろこちらから支配をゆるめて、その代わりに結束を呼びかけた方が得策です。

こうして1887年、「植民地会議[20]」を開催して本国と植民地の結束を呼びかけ、1901年にオーストラリアも自治領（ドミニオン）に昇格させたのを皮切りに、07年にはＮＺ（ニュージーランド）・ＮＦ（ニューファンドランド）を、10年には南ア連邦をつぎつぎと自治領（ドミニオン）にする[21]ことで、なんとしても本国につなぎ止めおかんと苦慮しています。

》 "光栄ある孤立"の放棄

このように、この時代に入るやイギリスは急速にその国力を衰えさせていきましたが、その事実を認めようとせず、必死に植民地にしがみつくことで"過去の栄光"を守らんとする醜い姿をさらします。

イギリスはその絶頂（バックス・ブリタニカ）の象徴たる"光栄ある孤立"をこの時代も守ろうと「どこの国とも同盟を結ばない」姿勢を貫いていましたが、しかしこの時代の末期、ついに守りきれず同盟を結びます。

それこそが1902年の日英同盟です。

（＊20）1907年に「帝国会議」と改称。

（＊21）そして、次時代に譲りましたが1921年にはアイルランドが最後の自治領になっています。

日本人を「黄色い猿」と蔑みつづけてきた国が、よりにもよってその「猿」と対等同盟を結ばざるを得ないとは、それほど追い詰められていたことを意味していました。

》　フランス、孤立から三国協商へ

　この時代、フランスもまた──
・第2次産業革命で出後れたため、これを補うべく Ａ　Ａ 圏において植民地獲得に奔走したこと
・ヨーロッパ外交において孤立していたこと
──この2点においてイギリスと同じ立場にありました。

　しかしながら、イギリスの場合はあくまで自分の意志で勝ち取った己の尊厳を守るための"光栄ある孤立"であったのに対し、フランスの場合はビスマルクによって孤立化させられていたのであって、一見同じでも本質がまったく違います。

　しかし、1890年を境として歴史の流れが変わったのはフランスも同じでした。

　「フランス孤立化」を推進していたビスマルクが失脚したことを機にフランスは巻き返しを図り、逆に今度はフランス側が**露仏同盟**（1890年代前半）・**英仏協商**（1904年）を締結して「ドイツ包囲網」を築いていきます。

　そして、これがドイツ帝国滅亡の原因となっていくのでした。

》　イタリア、右顧左眄

　イタリアもまた英仏同様、悪化した経済を植民地獲得で補完しようとアフリカ分割に力を注いでいます。

しかしその結果、アフリカの角[*22]周辺やチュニジアを繞（めぐ）ってフランスと利害が衝突。

仏伊が対立しているのを見たビスマルクは、これを利用してイタリアを自陣営に組み込むことに成功[*23]、「フランス孤立化政策」を前進させています。

ところが、その功労者ビスマルクが失脚し、彼の成果を壊して歩いたヴィルヘルム2世が親政を始めたことはイタリアにとっても大きな転換点（ターニングポイント）となりました。

じつは当時イタリアは、エチオピアを繞（めぐ）ってフランスと対立していましたが、ついにそれが「**エチオピア戦争**（1889〜96年）」となって爆発します。

そこでイタリアは、ビスマルク時代に結んだ**三国同盟**に基づいてドイツの支援を請うも、すでにビスマルクは下野[*24]していてヴィルヘルム2世はこれを見棄てたため、イタリアはこれを深く恨み、むしろ仏露に接近していく結果を招き、これもドイツ破滅の一因となっていきました。

》　国内矛盾を対外戦争で抑え込もうとするロシア

このころのロシアは、すでに社会矛盾が限界に来ていました。

経済段階では必死に西欧を追いかけ、商業資本主義から**産業資本主義**、そして**金融資本主義**へと移行していたのに、政治段階においては、いまだにロシア型絶対主義の「**ツァーリズム体**

（*22）アフリカ大陸東部にあるサイの角のように出っ張った地域。
　　　国家でいえば、ソマリランド・エチオピア東部のあたり。

（*23）1882年の独墺伊「三国同盟」のこと。

（*24）高い地位から去ること。政治家 → 民間、与党 → 野党、教授 → 辞職など。

制」のまま。

西欧では、「絶対主義」などとっくに"過去の遺物"、市民革命を経て「自由主義」へ移行し、さらに第２次産業革命を経て「帝国主義」へと移行しつつあるというのに、ロシアはいまだ市民革命すら起こっておらず、起こる気配すらない。

こうした政治段階と経済段階の不整合に、この時代のロシア社会は悲鳴を上げていたのです。

しかし、それでも時の露帝ニコライ２世は、この"時代遅れの骨董品"となった「ツァーリズム体制」を棄てるつもりなどさらさらなく、時代の流れに逆行してこれを死守することしか頭になく、こうした国内矛盾の解決は対外戦争で乗り切ろうとします[*25]。

ただ、ロシアの場合は「不凍港」を持ち合わせていなかったため、遠くアフリカ大陸までは手が届かず、もっぱら帝国の南隣諸国への侵寇、所謂「南下政策[*26]」という形となって現れます。

》 中央アジアの制圧

こうしてロシアは、この時代の上半期、ドイツと手を結んで[*27]背後の憂いを断ったうえで、バルカン半島・西アジア・中央アジア・中国への圧力を強めていきました。

斯くしてロシアは、

（＊25）「歴史法則22」（p273）を参照。
　　　国によって事情は違っても、国内問題の解決を対外膨張戦争で乗り切ろうとした点においては、ロシアもまた他のヨーロッパ列強と同じだということがわかります。

（＊26）「不凍港を求める」ということで「求海政策」とも。

（＊27）第１次三帝同盟、第２次三帝同盟、独露再保障条約のこと。

- バルカン半島では「（第11次）露土戦争[*28]」を引き起こし、
- 西アジアでは、カージャール朝の国家利権を次々と奪い、
- 中央アジアでは、ウズベク三汗国[*29]を支配下に置き、
- 中国では、義和団の乱（北清事変）に乗じて満洲[*30]を不法占拠して日本と対立、「日露戦争」を招いています。

　しかし、これらの南下政策のひとつひとつがすべてイギリスの利権とぶつかったため、イギリスとの対決姿勢が強まっていきましたが、そのロシアに1890年、激震が走ります。

》　ドイツに裏切られたロシア

　ビスマルクが失脚し、ドイツが「新航路（ノイエ・クルス）」と称し、180度方針転換してロシアの手を振り払った[*31]のです。

　突如として"背後の憂い"を背負うことになったロシアは、この1890年を境として否応なく外交方針の大転換を迫られ、それまで敵対していたイギリス、そしてドイツの敵国フランスと手を結んで、逆にドイツ包囲網を形成します。

　外交においては「昨日の敵は今日の友」などということはごく普通のことで、こうして生まれた同盟が「露仏同盟[*32]」と「英

（*28）1878年。このときの露土戦争は、数え方によって「第3次」だったり「第10次」だったり「第11次」だったりします。

（*29）チャガタイ汗国から派生した、ボハラ汗国・ヒヴァ汗国・コーカンド汗国のウズベク族の国のこと。

（*30）一般的には「満州」と表記されることが多いですが、これは中国政府のプロパガンダに拠るもので、「氵」を付けた「満洲」が正しい。

（*31）1887年に締結された独露の「再保障条約」は、3年ごとの更新と定められていましたが、その1回目の更新（1890年）の更新をドイツは拒否しました。

（*32）露仏同盟は、まず1891年に「露仏協商」として成立し、その後、92年に「露仏同盟」に昇華、そして94年に同盟を強化して完成に至りました。

露協商」です。

　こうしてロシアは、英仏陣営に与しつつ、次の段階で第一次世界大戦を迎え、そして大戦中の混乱の中で亡んでいくことになったのでした。

» オスマン帝国、「滅亡へのスパイラル」5周目

　このように、この時代のヨーロッパ列強はことごとく「破滅」へ向かって転げ落ちていくことになりましたが、それはイスラーム世界にあっても同じでした。

　ヨーロッパにおける歴史の転換点となった1870年代、オスマン帝国では前時代に「タンジマート」を推進してきた皇帝アブドゥル＝アジズ1世が逝去（1876年）。

　これによって、オスマン帝国の歴史の流れもがらりと変わります。

　彼の死とともにオスマン「4回目の近代化（タンジマート）」も失敗に終わり、オスマン帝国の「滅亡へのスパイラル」はここからいよいよ5周目に入ることになったためです。

　そしてこれが"最後の周回"で、このスパイラルは6周目に入るとともにリングが外れ、オスマン帝国は「滅亡」に至ることになります。

» アブドゥル＝ハミト2世の反動

　ところで、ここまでオスマン帝国は4度(＊33)にわたって近代

(＊33)1回目：アフメト3世の「チューリップ時代」

化に失敗してきました。

　しかし、亡びたくないならば、何度失敗しようが、皇帝（スルタン）の好むと好まざるとにかかわらず、望むと望まざるとにかかわらず、生き残りの道は唯一「近代化」するしかありません。

　しかも、すでに過去４度の失敗ですでに"片足を棺桶に突っ込んでいる"状態なのですから、それこそなりふり構わず全身全霊、上から下まで一丸となって、死力を尽くして近代化に邁進する必要があります。

　これに成功すればそこに"一条の光"も差そうかというものですが、失敗すれば「死」一択です。

　しかし。

　このとき新帝となった**アブドゥル＝ハミト２世**は歴史の流れも政治もまったく読めない人物で、ただ自分の嗜好のみを政治に反映させようとする、どうしようもない愚帝でした。

　もはや後（あと）がないこの情勢にあって、彼は歴史に逆行する反動専制政治を強行したのです。

　じつは、国家が泰平のときに愚帝が立ってもさしたる支障もないのですが、"危急存亡の秋（とき）"にあって愚帝が立てば、どんな大帝国もひとたまりもなく滅亡します。

　ドイツの**ヴィルヘルム２世**然り。

　ロシアの**ニコライ２世**然り。

　清の**西太后**（シータイホウ）（＊34）然り。

　　２回目：セリム３世の「セリムの新制」
　　３回目：マフムート２世の「マフムートの新制」
　　４回目：アブドゥル＝メジト１世およびアジズ１世の「タンジマート」

（＊34）西太后は肩書上は「皇帝」ではありませんでしたが、皇帝すら意のままに操っていましたので実質的には「女帝」でした。彼女が清の近代化を徹底的に妨害したため、彼女の愚かさひとつで大帝国・清朝を滅亡させたようなものでした。

そしてこれにオスマン帝国のアブドゥル＝ハミト2世がつづきます。

　この時点でオスマン帝国は「詰んだ」と言えるでしょう。

　そうした中、時の大宰相ミドハト＝パシャは孤軍奮闘、オスマンを近代化しようと必死に動いていましたが、アブドゥル＝ハミト2世は、彼が創った「ミドハト憲法^{（＊35）}」をホネ抜きにし、彼を更送し、そして処刑してしまいます。

　そうした反動政治のまっただ中において、国内問題を対外戦争で圧殺せんとロシアが攻めてきます。

　これが「（第11次）露土戦争」です。

　結果は火を見るより明らかで、近代化に失敗しているどころか、これを圧殺していたオスマン帝国は、ほとんど抵抗らしい抵抗もできぬまま連戦連敗、ロシア軍は帝都（イスタンブール）の目と鼻の先まで迫ったため、オスマンも和を請いました。

》　"下からの近代化"青年トルコ革命

　これほどの無様（ブザマ）をさらして、さしものアブドゥル＝ハミト2世も目が醒めたか──と思いきや、戦後の彼は、まるで己（おのれ）の無能を隠さんとするが如く、さらなる反動強化に走るのみ。

　もはや"付ける薬"もない状態となりましたが、国内は力で押さえつけることができても、外国勢力（特にロシア）の侵寇を独力で食い止めることはもはや不可能であることは、今回の露土戦争で明らかとなりました。

（＊35）正式名称は「オスマン帝国基本法」であって、厳密には「基本法」であって「憲法」ではありません。

　自力で如何ともしがたいとなれば、他力にすがろうとするのは弱者がよく使う常套手段。

　そんな折の1888年、ドイツで**ヴィルヘルム２世**が即位すると、彼は中東進出を目指してオスマン帝国に接近しはじめます。

　その２年後(1890年)にはビスマルクを失脚に追い込んで、本格的に「**新航路**」を掲げてオスマンに接近を図るヴィルヘルム２世に対し、**アブドゥル＝ハミト２世**もまたこれを"後盾"としようと考えます。

　こうして1898年には「**３Ｂ政策**(＊36)」を掲げて鉄道敷設権を求めるドイツに対して、この国家利権を明け渡してでもドイツにすがろうとしてみじめな姿をさらすオスマン帝国。

　ところがその直後、**日露戦争で日本が勝利した**との報が舞い込みます。

――三大陸に跨る大帝国たる我が国が逆立ちしても勝てないロ
　　シア帝国を、極東の貧乏島国の日本が打ち負かした！

　この報はオスマン帝国民に衝撃を以て迎えられました。
「日本人にできて我々にできぬはずがない！」
「日本にあって我が国にないものといえば憲法だ！」
「そもそも我々にも憲法はあったのに皇帝が潰したのだ！」

　こうして「**上からの**(＊37)**近代化**」に４度失敗したばかりか、ヤケを起こして反動化した政府に対し、ついに「**下からの近代化**」の動きが起こります。

(＊36)ドイツ陸軍を中東に送り込むインフラ整備のため、ベルリン・イスタンブール・バグダードを鉄道で結ぼうとしたもの。

(＊37)「上からの」というのは「政府・官僚・君主らによる」という意味。
　　　逆に「下からの」というのは「民衆・革命家らによる」という意味。

これが「**青年トルコ**[*38]」です。

そしてそれは1908年、「**サロニカ革命**[*39]」となって結実し、**ミドハト憲法**は復活、皇帝(スルタン)の抵抗もむなしく、オスマン帝国もついに「立憲君主制」となりました。

しかし、時すでに遅し。

癌(がん)の末期患者に手術を施せばかえって死期を早めるように、オスマン帝国も次の戦争で「滅亡へのスパイラル」のリングが外れ、滅亡していくことになります。

》 カージャール朝もオスマンと同じ道を辿る

オスマン帝国のお隣イランも、オスマンと足並みを揃えるように亡びの道をたどっていきます。

イランは先代**サファヴィー朝**のころは、西にオスマン、東にムガール、南からポルトガル、北からロシアの圧迫を受け、ジリ貧がつづいて亡んでいきましたが、その後を継いで天下(イラン)を統一した**カージャール朝**も、オスマンの圧迫こそ減退したものの、北からロシア、東からはムガールに代わってイギリスの圧迫が日に日に強まり、この時代いっぱいをかけて国家利権[*40]をつぎつぎと奪われていき、経済は悪化の一途。

生き残りを懸けるならば「近代化」以外に道はないのに、政

(＊38) 正式名称は「**統一と進歩委員会**」。1889年に一度結成されたものの、ただちに鎮圧・解散させられていましたが、これを再建したもの。

(＊39) 昔は「**青年トルコ革命**」と呼ばれていましたが、革命の本質からかけ離れた呼称であるという主張から、近年は「**サロニカ革命**」と呼ばれることが多くなっています。

(＊40) 石油などの地下資源、鉄道、電信、発券銀行、タバコ販売などなど、ありとあらゆる国家利権。

府はただただ財政悪化の穴埋めとして増税を繰り返すのみ。

　国民の不満が高まる中、ここでも「日露戦争にて日本勝利！」の報が激震となってイランに襲いかかります。

　自分たちがどう足掻いても勝てないロシアを倒したのが、自分たちと同じ有色人種の日本！

　それを知ったイラン国民の反応はオスマンと同じ。

── 俺たちが劣等民族だから勝てないんじゃない、

　　やり方が間違っているから敗けるのだ！

── 日本に倣え！　憲法を作れ！

　こうして「**イラン立憲革命**（1905～11年）」が勃発します。

　しかし、これもまたオスマン同様、遅きに失しました[*41]。

　翌06年に「**イラン帝国憲法**」が発布され、翌07年に皇帝が議会を封鎖するなどと内乱状態となっている中で、その年、「**英露協商**」が結ばれて、カージャール朝の国土はイラン国民の頭越しに勝手に“勢力範囲”が設定される有様。

　こうして、次時代には第一次世界大戦に巻き込まれて滅亡していきますが、オスマン帝国と驚くほど同じ道をたどっていることがわかります。

》　清朝、1回目の近代化運動に失敗

　この時代、中国もまた、オスマン帝国やカージャール朝同様、近代化にもがく時代となります。

（＊41）「イラン立憲革命」が起こったのが1905年、オスマン帝国史でこれに相当する「サロニカ革命（青年トルコ革命）」が起こったのが1908年。まるでお互い申し合わせたかのように同じタイミングです。

前時代（近代 第2段階）、「蛮戎^{（＊42）}」であるはずのヨーロッパ人を前にして、阿片戦争・アロー戦争と立て続けにいいところなく敗れ去った衝撃^{ショック}から、近代化が促されました。

　それが「洋務運動」です。

　洋務運動はアロー戦争の直後、すでに前時代（近代 第2段階）の末期^{（＊43）}から始まっていたものの、数千年にわたって自縄自縛してきた「中華思想」が邪魔をして^{（＊44）}中途半端な近代化であったこと、清朝の権力闘争に利用されて足並みが揃わなかった^{（＊45）}こと、当時の最高権力者であった西太后^{シータイホウ}が近代化を嫌ったことなどからうまく進まず、それが「失敗」だったことは日清戦争で"たかが日本ごとき"に敗れたことで白日の下にさらけ出されたのでした。

》　清朝、2回目の近代化運動に失敗

―― 大陸国家が島国に敗れた！
―― 金満大国が貧乏小国に敗れた！

　この現実を前にして、康有為^{カンヨウウェイ}・梁啓超^{リャンチーチャオ}・譚嗣同^{タンスートン}らが中心となって時の皇帝・光緒帝^{グゥンシュ}に働きかけ、明治維新に倣った「変法運

（＊42）野蛮人のこと。中国人は東に棲む野蛮人を「夷」、西は「戎」、南は「蛮」、北は「狄」と呼んで区別していました。

（＊43）1860年代の同治帝の御世（1861〜75年）。帝国主義段階に入るのが1870年代なので、その10年ほど前。

（＊44）「中国こそがすべてにおいて世界一」「その中国ともあろうものが、何が哀しうて白人どものサルマネなどせねばならぬ？」という意識がどうしても払拭できませんでした。

（＊45）イギリスを後盾とした李鴻章派、フランスを後盾とした左宗棠派、宮廷を後盾とした張之洞派に分かれ、それぞれがバラバラに近代化を推進したため、兵器の規格統一すらできないという惨状でした。

動」を始めます。

ところが。

前回の近代化（洋務運動）には３０年もの時間をかけましたが、今回は西太后（シータイホウ）の反発によりわずか１００日で失敗に終わり（＊46）、以降、逆に反動政権が生まれてしまう有様。

これはオスマン帝国において、37年もの時間をかけた近代化（タンジマート）に失敗した後、大宰相ミドハト＝パシャが憲法制定に尽力するも、ようやく生まれた憲法は皇帝（スルタン）の反発によりたった１年強で潰され、以降、逆に反動化してしまった歴史展開を彷彿とさせます。

》　清朝、3回目の近代化運動へ

帝国が再生するためには「近代化」以外に方法はないのに、これを拒絶したのですから、オスマン同様、この時点で清朝の命運は尽きたと言ってもよいでしょう。

したがって、変法運動を握りつぶした直後から起こった**仇教運動**（1899年）・**義和団の乱**（1900〜1901年）に王朝（西太后）は狼狽する（＊47）ばかりで何ら対処できず、「**八ヶ国共同出兵**」を招いてしまう有様。

戦中、西太后（シータイホウ）は農民のボロ服をまとって紫禁城から落ち延びなければならないほど追い詰められていますが、それがよほど堪えたか、さしもの頑迷固陋（ころう）の西太后（シータイホウ）も近代化の必要性を認識し、その直後、近代化を実施するよう命じます。

（＊46）そのため「百日維新」と呼ぶこともあります。

（＊47）和睦の際、清朝全権・李鴻章に対し、「中華の物力を以て与国の歓心を結べ！（どんなにカネを払ってもよいから和睦を結んでこい）」と命じているほど。

――妾 は痛切に思う。

　数十年来積み重なった弊害を、これまで因循姑息に粉飾
　してきた結果が今日のごとき大禍を招いたのだ、と！(＊48)

　その"因循姑息に粉飾してきた張本人"の元凶が何を言うか！
と小一時間問い詰めたくなりますが、とにかくやっと西太后も
近代化の重要性に気づいてくれたということで、ここから3度
目の近代化「光緒新政」に入ります。

　ところが。

》　そして、清朝滅亡

　それも「喉元すぎれば」なんとやら。

　改革を実行したのは最初だけで、上諭を出した年（1901年）に
「緑営(＊49)の廃止」と「学校制の導入」を実施した程度で、以
降改革は急速に失速していったのでした。

　このまま3度目の近代化も潰えるのか……と思った矢先、そ
んな清朝の尻を叩く結果になったのが「日露戦争における日本
勝利」でした(＊50)。

　驚いた西太后は下問します。

――我が国ですら手も足も出ないロシアに、

　　どうしてあのような小国・日本が勝ったのです!?

　答えなど聞くまでもないこと。

（＊48）西太后が発布した「変法上諭（1901年）」の中の言葉。

（＊49）順治帝（3代）のころ、清朝の正規軍「八旗」の補助的な役割を担って漢人で編
　　　　制され、康熙帝（4代）のころには八旗に代わって軍の主力となり、嘉慶帝
　　　　（7代）のころには弱体化して郷勇に取って代わられていた軍事組織。

（＊50）当時、「日露戦争における日本勝利」という事実が、如何に驚天動地の出来事
　　　　だったかがわかります。

　ここでようやく近代化の重要性を悟った西太后（シータイホウ）は、頓挫（とんざ）しかけていた「光緒新政」をふたたび加速させるよう命じます。

　そこからは矢継ぎ早に、旧弊著（いちじる）しい科挙（1905年）、満漢偶数官制・六部（りくぶ）（1906年）、軍機処・内閣（1911年）など、政府の中枢を担ってきた中央官制をつぎつぎと廃止していく一方、欽定憲法の制作を急がせ、ついに1908年、憲法大綱が頒布（はんぷ）されます。

　その中で「9年後に国会を創設する」ことが公約されたが、オスマン同様、カージャール朝同様、時すでに遅し、約束の「9年」を待たずして清朝は滅亡、公約が果たされることはありませんでした。

》　"例外"の国、日本

　これまで見てまいりましたように、この時代のアジア諸国はことごとく、左の「近代化への最後の挑戦」と右の「保守反動」とが"蝸牛角上の争い（かぎゅうかくじょう）（*51）"を演じてしまったことで、いずれも挙国一致して欧州列強（ヨーロッパ）に当たることができずに"亡びの道"を一直線に転げ落ちていきました。

　しかし、同じアジアにあって日本だけはこうした歴史法則の"例外"となります。

　日本は前時代（近代 第2段階）まで鎖国状態にあって、間の悪いことに欧米列強が帝国主義段階に入ったころとほぼ時を同じうして「明治（1868年）」の世を迎えています。

（*51）「1匹の蝸牛（かたつむり）の左の角と右の角で争う」様に喩え、目先の利得に心を奪われて、ひとつの世界（or国）の中で争うことの愚かさを説いたもの。

これは喩えるなら、「飢えた狼の群(帝国主義の欧米列強)の真ん中に生まれたばかりの子猫(開国したばかりの日本)が放り投げられた」ようなもので、これではひとたまりもありません。

しかし、なればこそ、日本もこうした己の立場をよく理解し、朝野を挙げて近代化に邁進することができたのでした[*52]。

» 朝鮮の無知頑迷が日清戦争を引き起こす

しかし、それでも欧米列強の力はあまりにも強すぎ、日本が生き残りを図るためには日本単独の力では如何ともし難い。

このように「弱者」が「強者」に狙われたとき、弱者が生き残る術はひとつしかありません。

それは弱者が手を結んで「強者」に当たる[*53]ことです。

「狼さえも統制ある羊の群は襲わない[*54]」という言葉があるように、**弱者が強者に対抗するためには、好むと好まざるとにかかわらずこの「合従策」しかありません。**

そこで日本は、欧米列強に対抗するべく極東三国(日本・清朝・朝鮮)が対等な三国同盟を結ばんと東奔西走。

日本のこの動きに、清朝李鴻章はただちに日本の真意を理解し、対等条約として「**日清修好条規**(1871年)」を結んでくれましたが、**朝鮮はどれほどの万言を尽くして説明してもこの合従策の理が理**

(*52)もちろん幕藩体制に戻そうとする勢力もゼロではありませんでしたが、日本全体から見れば微々たるもので清やオスマンのように国を二分するような勢力とはなり得ませんでした。

(*53)これを「**合従策**」といいます。中国の戦国時代末期、一強の秦、六弱の韓・魏・趙・燕・斉・楚(六国)という構図になっていましたが、六国は生き残りたくば、対秦大同盟を結ぶより他なく、この理を説いて回ったのが**蘇秦**でした。

(*54)大正から昭和にかけての社会教育家、後藤静香の言葉。

解できず、ただただ頑迷に「これまでどおり清朝属国でありつづけたい！」の一点張りで日本と対等条約を結ぶことを断固拒否。

こうした朝鮮の頑迷が日清関係をも悪化させ、本来"仲間割れ"などしている場合ではない、一致団結して欧米列強に対抗（合従策）していかなければならない極東二大国の日清が交戦状態に突入してしまう有様。

日清戦争（1894〜95年）はこうして起こりました。

》 朝鮮、清を見限りロシアに走る

ここで清朝の敗北を目の当たりにし、朝鮮は国号を「**大韓帝国**」と改めます。

そもそも「**朝鮮**[*55]」の名は中国から下賜された国名であり、「王」は「中国皇帝の家臣」という意味でしたから、「朝鮮王国」の名を捨て「大韓皇帝」を号したのは、朝鮮が"日本ごときに敗れた清朝"を見限ったことを意味しています。

とはいえ。

有史以来数千年にわたって「属国」として生きてきた朝鮮は「属国としての生き方」しか知らなかったため、清を見限ったからとて「自主独立」の道を歩むのではなく、"新たな主人"を模索するだけ。

ところが、朝鮮が"新たな主人"として選んだのが、あろうことか、選りにも選って、極東を奴隷民族にせんと圧力を強めていたロシア。

[*55]「朝鮮」の原義は定かではありませんが、「中国への貢ぎ物が少ない貧しい国」「（中国から見て）東方の蛮族」という意味だとも言われています。

これから亡ぼしてやろうと思っている国が自らすり寄ってくるのですから、これはもう「腹を空かせた 猫 にすり寄る 鼠 」状態です。

》 自縄自縛の「日韓協約」

それで朝鮮がロシアに亡ぼされるのは自業自得としても、朝鮮が亡ぼされたあと、つぎに狙われる中国・日本はたまったものではありません。

ここにおいてついに日本もこれを看過できず、韓国のこうした蛮行を封じ込めざるを得ない状況に追い込まれていきました[*56]。

それが日露戦争中に結ばれた「**第1次日韓協約**」です。

朝鮮が勝手にロシアと通じないように制約をかけたものでした[*57]が、その甲斐もむなしく、日露戦争中、朝鮮が日本の監視の目をかいくぐってロシアと通じていた事実が判明。

第1次日韓協約で「抑えが利かない」となれば、もう一段階進めるしかありません。

こうして戦後、「**第2次日韓協約**」を結んで、正式に外交権を奪うことになりました。

ところが今度は、1907年に開かれていた国際会議[*58]に韓

（＊56）今日、さも「日韓併合」が日本の侵掠欲によって行われたかように喧伝されていますが、それは戦後に韓国が自己の愚行を隠すためにせっせと流したまったくのデマです。その成果はてきめん、現在では当の日本人がこのデマを盲信するという惨状を目の当たりにするにつけ、改めて「国民が正しい歴史を学ぶことの重要性」を痛感させられます。

（＊57）具体的には、外交・財政に顧問を置くことを義務づけ、韓国政府はその意向に従わなければならないというもの。

（＊58）第2回ハーグ平和会議。

国が密使を派遣し、その国際会議の場で日韓協約の不当を訴えるという事件（ハーグ密使事件）を起こします。

しかしながらこれは、

・そもそもこの国際会議が韓国問題を話し合う場ではなく、

・呼ばれてもいないのに、のこのこと議場に現れ、

・そもそも外交権がない韓国が密使を派遣すること自体が違法で

・日韓協約は欧米列強の承認を受けた正式なものであること

……などなど、韓国の訴えが認められる可能性など万に一つもないことすら理解できず、それどころかただ日本の怒りを買うだけの自爆行為で、実際、これが契機となって「**第3次日韓協約**」が結ばれ、こうして相次ぐ韓国の失態が自らを日本の保護国とさせしめます。

》 **最後まで墓穴を掘りつづける韓国、日韓併合**

しかし、このときの日本の怒りは大きく、「第3次日韓協約でも手ぬるい」「このまま一気に併合してしまえ！」という強硬派（征韓論）が主流となっていきます。

これを「時期尚早！」と必死に抑え込んでいたのが伊藤博文でしたが、ここでも韓国は墓穴を掘ります。

なんと、孤軍奮闘「日韓併合」を抑えていた伊藤を韓国人は自らの手で殺めてしまった[＊59]のでした。

抑止力（伊藤博文）を失った日本では、もはや征韓論を抑える

（＊59）犯人の名は「**安重根**」。本来なら「日韓併合を引き起こした元凶」として韓国人から永遠に恨まれて然るべき人物ですが、滑稽なことに、（当時ならまだしも）現在に至るまで韓国では「英雄」扱いです。このことは、韓国人が如何に真実の歴史を知らされていないかを如実に表しています。

者がいなくなり、翌1910年、伊藤暗殺を口実として韓国は完全に併合されることになりました。

　伊藤の最期の言葉は、犯人が韓国人であることを知らされて思わず口をついて出た言葉でした。

――馬鹿なやつじゃ。

最終幕（1914年 〜 今日）

現代

＜現代＞

我々が生きる「現代」の基本的な
社会構造・理念・歴史的特性などは
すべて第一次世界大戦以降に生まれた

現代の歴史大観

（1914年 ～ 今日）

　第一次世界大戦以降、「現代史」は以下のような段階を踏んで今日に至っている。

・第1段階：1914～18年
［第一次世界大戦］
・第2段階：1919～39年
［戦間期］
　　（第1期：1919 ～ 24年　ヴェルサイユ体制への反発と混迷）
　　（第2期：1924 ～ 29年　米・英・仏・独の歩み寄りによる緊張緩和）
　　（第3期：1929 ～ 34年　世界恐慌による国際緊張とヒトラーの胎動）
　　（第4期：1934 ～ 39年　ヒトラー暴走と第二次世界大戦への序曲）
・第3段階：1939～45年
［第二次世界大戦］
・第4段階：1945～今日［戦後世界］
　　（第1期：1945 ～ 55年　第1次冷戦）
　　（第2期：1955 ～ 60年　雪どけ時代）
　　（第3期：1960 ～ 68年　米ソの緊張と両陣営の多極化）
　　（第4期：1968 ～ 79年　米ソのデタント）
　　（第5期：1979 ～ 89年　第2次冷戦）
　　（第6期：1989 ～　今日　現代）

　歴史的動向を学ぶときは、今学んでいる個別の出来事・事件・戦争などが、どのような国際状況の中で生まれたものなのかを

つねに考慮しながら学ぶことが、正しい歴史の学び方である。

現代の歴史展開
（1914年 〜 今日）

「現代」という歴史区分をいつからと考えるか。

じつのところ諸説紛々、答えはありません。

「日本史」と「世界史」でも違いますし、何より時代が進むにつれて「現代」の始まりはどんどん先送りされていき、ひと昔前まで「現代」と呼ばれていた時代がつぎつぎと「近代」へと押し込まれていくためです。

世界史において「現代」と言われる主だったものだけを挙げても以下のようなものがあります。

・第一次世界大戦勃発以降（1914年〜）を始点とするもの
・第二次世界大戦終結以降（1945年〜）を始点とするもの
・第二次　冷戦　終結以降（1989年〜）を始点とするもの

しかし、本書では便宜上「第一次世界大戦以降」を「現代」として扱うことにします。

なんとなれば、現在我々の目の前に拡がる「現代世界」の基本的な社会構造、イデオロギー、政治・外交・戦争とその理念、歴史的特性などなどが、ことごとくこの第一次世界大戦以降に生まれたものだからです。

» 世界史は「各国史的世界」から「世界史的世界」へ

　世界史は時代を遡れば遡るほど、各地域・各国の歴史がばらばらに展開しているように見えます[*01]。

　しかし、時代が古代から中世・近世と進むにつれ、少しずつ他地域への影響が大きくなっていき、19世紀に入ると"世界の一体化"はさらに強くなり、20世紀、第一次世界大戦を境として、世界のどこかで起こった出来事・事件・戦争はたちまち世界中に影響を及ぼすことが誰の目にも明らかになってきました。

　こうなると、ひとつの国の歴史を理解するためには、どうしても国際的な各国の動きも学ばなければいけなくなります。

　事ここに至ってようやく「世界史が世界史的に動いている」ことに気づき、教科書の記述も19世紀までの「各国史」的な語り口から、20世紀以降は「国際関係史」を重視して語られるようになります。

» 「現代史」の歴史区分

　つまり、第一次世界大戦以降は本書に頼らずとも、他書でも「世界史的世界」として描かれているため、敢えて本書で現代史に多くの紙幅を割く必要はないでしょう。

　しかし、それでも他書では触れられていない歴史の"うねり"がありますので、本章ではその点について簡単に敷衍していきたいと思います。

（＊01）もちろん、それは歴史を表面的にしか捉えることができない人には「見えない」というだけで、じつは世界の歴史はつねに「全体でひとつ」として動いている──ということを我々は学んできました。

　まず、現代史は「第一次世界大戦」と「第二次世界大戦」で大きく分かれ、そしてその両大戦に挟まれた「**戦間期**」とその終結から現代までの「**戦後**」の４期に分けることができることは巷間よく知られたことですが、その「戦間期」「戦後」はさらに細分化することができます。

》　戦間期の第１期 —— ナチスの抬頭

　「戦間期」は年号でいえば1919～39年までのちょうど20年間ですが、その内幕はちょうど５年ごとに４期で推移しています。

　まず最初の５年間（1919～24年）は、あまりにも理不尽な**ヴェルサイユ体制**の決定に対してドイツが反発し、急速にドイツ興論が右傾化していく中で**ナチスが抬頭**していく時代です。

　パリ講和（'19年）が終わった翌年には**カップ一揆**（'20年）が起こって帝政復活を宣言していますし、1921年には**ロンドン会議**で賠償金額が「**1320億金マルク**」という天文学的金額が確定したため、当時のドイツ首相[*02]は抗議の総辞職、次の首相が支払猶予を申し出る（'22年）とフランスはこれを認めず、翌23には軍事行動に打って出（**ルール出兵**）、ドイツは経済的には**ハイパーインフレーション**を起こして大混乱、その虚を衝いて**ヒトラーがミュンヘン一揆**を起こしたのもこの年です。

》　戦間期の第２期 —— 国際緊張の緩和

　大戦が終わってからまだ数年しか経っていないというのに、

（＊02）フェーレンバッハ内閣。

はやくも「第二次世界大戦」でも起こりそうなピリピリした空気<ruby>ムード</ruby>に、ついにアメリカも調停に乗り出し^(＊03)、それが契機<ruby>きっかけ</ruby>となって24年から急速に 英<ruby>イギリス</ruby>・仏<ruby>フランス</ruby>・独<ruby>ドイツ</ruby>が急速に歩み寄りを見せたことで国際緊張が緩和していきます。

»　戦間期の第3期 —— ブロック経済の成立

このまま安定に向かっていくのかと思った矢先の1929年、世界大恐慌が勃発。

そのせいで「第2期」に構築した秩序が崩壊したばかりか、こたびの恐慌を起こした張本人たるアメリカは世界の調停者<ruby>バランサー</ruby>としての地位を放棄し、他国を食い物として自国の安寧のみに汲々とする「ドル＝ブロック」を形成。

この動きを見た 英<ruby>イギリス</ruby>仏<ruby>フランス</ruby>もアメリカに追従し、見棄てられる形となった 独<ruby>ドイツ</ruby>伊<ruby>イタリア</ruby>は生き残りを賭けて右傾化するより他に途<ruby>みち</ruby>はなく、ドイツでA.ヒトラー<ruby>アドルフ</ruby>、イタリアでB.ムッソリーニ<ruby>ベニト</ruby>を育んでいくことになります。

»　戦間期の第4期 —— ヒトラー、総統に就任

こうして 米<ruby>アメリカ</ruby>英<ruby>イギリス</ruby>仏<ruby>フランス</ruby>によってすくすくと育てられたヒトラーはドイツで政権を獲り、独裁を布<ruby>し</ruby>き^(＊04)、総統<ruby>フューラー</ruby>の地位に就いた年('34年)から本格的に外交に打って出るようになります。

34年の「 独<ruby>ドイツ</ruby>波<ruby>ポーランド</ruby>不可侵条約」に始まり、翌35年には「再軍

（＊03）1924年のロンドン会議。この会議で「ドーズ案」が決議されました。

（＊04）ヒトラーが内閣を組閣したのが1933年1月、全権委任法を通したのが3月、一党独裁を始めたのが7月。

備宣言」「英　独　海軍協定」、そして極めつけが36年の「ラインラント進駐」。

　ここからは、岩が崖を転げ落ちていくように「オーストリア併合（'38年3月）」「ズデーテン併合（'38年10月）」「チェコ併合とスロヴァキア保護（'39年3月）」と第二次世界大戦に向かって驀進していく5年間となります。

　そしていよいよ「ポーランド進撃（'39年9月1日）」が第二次世界大戦の引金となったのでした。

》　戦後時代の第1〜3期

　こうして第二次世界大戦は日本をも巻き込み、足かけ6年にもわたってつづきましたが、アメリカが日本に無差別大量殺戮兵器・原爆を立て続けに2つ落とした[*05]ことに加え、ダメ押しに日本が"最後の恃みの綱"としていたソ連が「日ソ中立条約」を破って[*06]北から侵寇してきたこと[*07]で心が折れ、白旗を揚げることになりました。

　戦後は、現在まで「6期」に分けることができ[*08]、

① 第1次 冷戦時代（1945〜55年）

　共通の敵（日・独）を倒したことで米ソの関係が急速に冷え

（*05）1945年8月6日（広島）と9日（長崎）。

（*06）「日ソ中立条約」は1941年4月に締結（有効期限5年）され、日ソ両国の中立・相互不可侵・領土保全を謳ったもの。ソ連が侵寇してきたときはまだ条約は有効であり、かつ、このころの日本はソ連に仲介の労を取ってもらうよう頼んでいましたので、そのソ連の"裏切り"は心が折れる出来事でした。

（*07）長崎に原爆が投下された日と同じ8月9日。

（*08）「現代」の時代区分はまだまだ研究中であり、もちろん様々な分類法がありますから、本書で挙げた分類もあくまで"多説のうちの一説"とご理解ください。

込んでいく10年。

② 雪どけ時代（1955〜60年）

　　冷戦が限界を迎え、この延長線上には"熱い戦争"すなわち
「第三次世界大戦」が待ち受けていることを肌で感じた米ソ
がお互いに妥協、接近して、表面的な和解を演出した5年。

③ 米ソの緊張と両陣営の多極化（1960〜68年）

　　しかし、「雪どけ」とは言っても実際のところは"マスコミ
向けの演出"にすぎず、そうした"その場凌ぎの弥縫策"は
些細なことでたちまち崩れ、何度も緊張と緩和を繰り返す
殆うい"綱渡り"状態の8年。

　　一時は、「キューバ危機」に見られるように一触即発、そ
れこそ核戦争寸前というところまで緊迫したこともあった。
それとともに米ソの求心力にも翳りが見え、米ソ二極体制
から両国に一定の距離を置く「多極化」が始まる。

》　戦間期と同じ道をたどる戦後時代

　ところで、ここまでつらつらと見てまいりましたが、これを
「戦間期」と比較してみれば、第一次世界大戦後（戦間期）も第二
次世界大戦後（戦後時代）も第1期から第3期まで同じ動きをして
いることがわかります。

　どちらもそれぞれ以下のように歴史が展開しました。

第1期：終戦直後から大戦に発展しかねない緊張が走る。
第2期：これを嫌った両陣営から歩み寄りが生まれる。
第3期：しかしその努力も虚しくふたたび緊張に向かう。

「歴史は繰り返す」とはよく言ったもの。

　しかし、もしこの調子でいくならば、次は以下の道をたどることになるであろうことは当時の政治家たちにも容易に想像することができました。

> **第4期：次期世界大戦に向かって転げ落ちていく。**

　しかし、すでにこのときには米ソ両陣営とも原水爆を保有していましたから、次期世界大戦（第三次世界大戦）はそのまま「世界核大戦」に発展してしまうことは必定。

　そうなれば米ソどちらも勝者たり得ず、人類史そのものがここで終了してしまう[*09]ことは誰の目にも明らか。

　それだけは避けたいと、米ソは水面下で根回し・交渉を繰り返し、ふたたび歩み寄りの姿勢をみせたことで、以降の展開が「戦間期」とは変わってくることになります。

　》　戦後時代の第4～6期

　つまり、ここまで戦間期と同じ過程をたどりながら、ここにきて踏み止まることができたのは、皮肉にも核兵器のおかげといえましょう。

④ 米ソのデタント（1968～79年）

　なんとしても核戦争を避けたい、たとえ起こったとしても

（＊09）あるとき、かのA.アインシュタイン博士がインタビューを受け、次のような会話がなされたことがあります。「もし第三次世界大戦が起こったら、次はどのような新兵器が使われると思いますか？」「第三次世界大戦についてはわかりませんが、第四次世界大戦ならわかります」「それは何ですか？」「石と棍棒です」。もちろんこれは「もし第三次世界大戦が起これば、それは核戦争であり、文明は崩壊しているであろう」ということを示唆したものです。

少しでも被害が小さくなるようにしたい。

そうした想いからまずは68年、核保有五ヶ国（米英仏ソ中）が「核拡散防止条約」を締結したのを皮切りに、西独のＷ.ブラント首相が「東方外交」を掲げて、70年に「ソ連・西独武力不行使条約」「西独・波国交正常化条約」、72年に「東西ドイツ基本条約」を立てつづけに結んで東側諸国との融和を図り、米ソも「第１次戦略兵器制限交渉」を行って軍拡に歯止めをかける。

⑤ 第二次冷戦（1979〜89年）

ところが、こうして培われた友好ムードは、ソ連が突如として「アフガニスタン侵攻（1979年）」をかけたことで破れてしまう。

そのため、話し合いの場が持たれ、調印までされ、あとは批准を待つだけとなっていた「第２次戦略兵器制限交渉」は流れ、以降10年間、「第二次冷戦」と呼ばれる緊張状態が生まれる。

その結果、アメリカの「ＳＤＩ構想(＊10)」に代表されるように、米ソはお互いに異常な軍拡を繰り返し、どうせ使えもしない（使えば人類史終了）無差別大量殺戮兵器の開発・製造に湯水のように血税が注ぎ込まれていく。

⑥ 現代（1989〜今日）

すでに地球を何十回も亡ぼすことができるほどの兵器を保有しているのに、それでも狂ったように兵器を増産しつづける異常な状態に、ついに米ソ両国ともに財政破綻を起こし、ふたたび歩み寄りが起きる。

（＊10）通称「スターウォーズ計画」。

その結果ついに1989年、マルタで米ソの二巨頭会談[*11]が行われ、「冷戦終結宣言」が発せられて1945年以来の米ソ対立を終わらせようとします。

» 歴史は流れる、されど人は…

1945年2月の「ヤルタ会談」以降、半世紀近くにわたって世界は米ソ両大国によって牽引され、「ヤルタ体制」が築かれ、これにより国際秩序が維持されてきました。

このように人は、制度を作り、体制を築き、現状を維持せんと日々努力します。

しかし歴史はつねに流れており、歴史の流れを前にして人の力など無力です。

■ 歴史法則24 ■
歴史はつねに流れる。
されど人はこれを堰止めたがる。
やがて水位は上がり、堰は決壊する。

たかが人間ごときが「歴史の流れを止めん！」としてどんなに立派な"堰"を築こうと、滾々と流れる"歴史の流れ"を前にしては「隆車の前の蟷螂の斧」同然、水位は上がりつづけ、いつかはかならず限界を迎えて"決壊"する時が来ます。

例外はひとつたりともありません。

(＊11) マルタ会談。アメリカ大統領G.ブッシュ(Sr.)とソ連書記長M.ゴルバチョフの間で行われたもの。

» ヤルタからマルタへ

米ソという超大国が築きあげた"堰（ヤルタ体制）"とて例外たり得ず、すでに1980年代には限界に達しており、それを象徴する「ベルリンの壁」もこの会談直前に崩壊している中での「冷戦終結宣言」でした。

つまり、これまで米ソによって支えられてきた"堰（ヤルタ体制）"はすでにあちこちでヒビが入り、あちこちに穴が空いて水が漏れ始めており、もはや決壊寸前であることを察知した米ソは、この決壊に巻き込まれないうちにこれを放棄し、川下に新しい"堰"、すなわち「マルタ体制」を構築するという宣言でもあったのでした。

しかし、ソ連はこの"決壊"に巻き込まれてしまい、そのわずか2年後に解体（1991年）。

ソ連の消滅で"敵失"となったアメリカが、その後「世界の警察」となってマルタ体制を一身に担うことになりましたが、それも荷が勝ちすぎ、すぐに限界に達します。

» 歴史はふたたび動き出した！

1999年は西暦1000年代最後の年。
2000年は第2千年紀（＊12）最後の年。
2001年は21世紀最初の年 —— ということでこの3年間は各地でお祭り騒ぎでした。

（＊12）「千年紀（ミレニアム）」とは、西暦を1000年単位で区切った単位。西暦元年から数えて1000年までが「第1千年紀」、1001〜2000年までが「第2千年紀」。つまり我々は今、「第3千年紀の初頭」に生きていることになります。

こうした暦の上で「ひとつの時代の区切り」は、世界中の人々に“新時代の幕開け”を意識させ、それを象徴した2001年、あの「同時多発テロ」が起こります。

　世界貿易センタービルの両棟が崩壊する様は、「アメリカ帝国主義」の崩壊を象徴していたと言えましょう。

　「同時多発テロ」勃発当時の大統領 Ｇ．Ｗ．ブッシュ（Ｊr.）は“20世紀の影”を引きずり、「マルタ体制」を死守するべく東奔西走しましたが、それも限界に達し、次のＢ.オバマ大統領はふたたび“決壊”を見据えて、ついに「“世界の警察”をやめる」と言い出しました。

　この言葉の真意を理解できない日本ではあまり騒がれませんでしたが、これは衝撃的な発言です。

》　覇権国家の圧政によって維持される国際平和

　そもそも“国際秩序”とか“国際平和”というものは、「世界各国の全権が国際会議の場で平等な立場で話し合って平和的に維持される」ものではありません。

　現実はそんな甘い世界ではなく、“国際平和”とは「その時代を代表する覇権国家の支配・圧政によって弱者が押さえ付けられることによって維持されるもの」にすぎません[*13]。

　覇権国家は、世界の警察・調停者として各地の紛争を自国にとって都合のよい形での解決を図り、それによる秩序と平和を“演出”する代わりに、世界の国々から富を吸い上げるシステム

（＊13）「歴史法則15」（p181）を参照。

を構築し、私腹を肥やしつづけます^(＊14)。

これが"国際平和"の実態です。

大衆には"きれいな部分""都合のよい側面"しか見せずにこれを支持させます^(＊15)。

つまり、世界が"平和"に見えるのは、覇権国家が弱者を押さえ付けられているからにすぎず、覇権国家に頭を押さえ付けられ、生き血をすすられ、痩せ細りつづける弱者にとって、こんな体制は"平和"でもなんでもない、ただの"生き地獄"です。

したがって、弱者は頭を押さえ付けられながらもつねに反旗のチャンスを窺っています。

ほんのちょっとでも覇権国家の力が衰え、押さえ付けている手がゆるめば、ただちにこれを振り払い、反抗することは当然のことで、その"反抗"のひとつが「同時多発テロ」となって具現したにすぎません。

》 アメリカの黄昏と国際秩序の動揺

そうしたことを受けて、ついに音をあげたアメリカが「"世界の警察"をやめる」と宣言したことは、「国際秩序（マルタ体制）を支えるのをやめる」と宣言したことと同義で、ほんとうにこれを発言だけに留まらず行動に移したならば、これは歴史を揺るがす大転換期となります。

（＊14）いわば、戦前のヤクザのようなものです。戦前のヤクザはそれぞれ"縄張り"を持ち、その縄張り内の飲食店・小売店からみかじめ料（用心棒代）を取りますが、その代わり、店で何かいざこざが起こったときは、すぐさまやってきてこれを解決してくれます。

（＊15）北朝鮮などの社会主義国家が、国家の暗部・恥部は徹底的に隠蔽し、捏造された"うつくしい部分"だけを対外向けに垂れ流しているのと同じです。

　「戦間期　第3期」のことを思い出せば明々白々、あのときアメリカは"世界の調停者(バランサー)"としての地位を放棄し、自国の安寧のみを図る「ドル＝ブロック」を形成しました。

　それは第一次世界大戦後の「国際秩序（ヴェルサイユ体制）を支えることをやめる！」と宣言したのと同義で、これにより"支え"を失ったヴェルサイユ体制はたちまち崩壊へ向かうのと同時に、それまで頭を押さえ付けられていた独伊(ドイツイタリア)は反旗を翻(ひるがえ)す。

　その"歴史的役割"を担って歴史の表舞台に登場した人物がヒトラーであり、ムッソリーニであるにすぎません[16]。

　こうして世界はそのまま「第二次世界大戦」まで驀進(ばくしん)していくことになりました。

　今回のアメリカによる「世界の警察」放棄宣言はこれに相当します。

≫　そして未来へ…

　では、このまま世界は「第三次世界大戦」まで驀進するのでしょうか。

　どうやらそうでもなさそうです。

　つぎの大統領 D.トランプ(ドナルド)は、大統領選挙中こそ「我々はもはや"世界の警察"ではない」と主張していましたが、いざ大統領になると、世界中に配備された米軍について「撤兵するぞ！」「撤兵するぞ！」と煽(あお)るも、それも口先だけで一向に行動には移

（＊16）歴史を法則で学ぶことによって、ヒトラーやムッソリーニでさえも「歴史」という舞台で"台本"どおりに踊らされた"演者"のひとりにすぎないということが理解できるようになります（もっとも本人ですらそのことに気づいていなかったでしょうが）。

さず、「いやなら米軍駐留費を全額出せ！」と要求していますから、どうやら撤兵する気はなさそうです。

　彼は大統領になる以前、政治にも軍事にも携わった経験のない初の大統領で、政治にまったくのズブの素人でしたから、おそらく大統領になったあと、米軍を撤兵させることの愚かさを側近らに懇々と諭されたのでしょう。

　しかし、それとて時間の問題であって、"歴史の流れ"を読んだとき、やはり世界は渾沌に向かっているようです。

〈著者略歴〉

神野正史 (じんの・まさふみ)

河合塾世界史講師。世界史ドットコム主宰。学びエイド鉄人講師。ネットゼミ世界史編集顧問。ブロードバンド予備校世界史講師。歴史エバンジェリスト。

1965年名古屋生まれ。既存のどんな学習法よりも「たのしくて」「最小の努力で」「絶大な効果」のある学習法の開発を永年に渡って研究し、開発。「世界史に暗記は要らない」という信念から作られた『神野式世界史教授法』は、毎年、受講生から「"歴史が見える"という感覚が開眼する！」と、絶賛と感動を巻き起こしており、偏差値が一年間で20〜30上がる学生が続出。

著書に『世界史劇場』シリーズ（ベレ出版）、『最強の教訓！世界史』（PHP文庫）、『「移民」で読み解く世界史』（イースト・プレス）など。

イラスト：いのうえもえ
カバーデザイン：杉山健太郎

暗記がいらない世界史の教科書

本当の教養を身につける

2020年1月14日　第1版第1刷発行

著　者	神　野　正　史	
発行者	後　藤　淳　一	
発行所	株式会社ＰＨＰ研究所	

東京本部　〒135-8137　江東区豊洲5-6-52
第四制作部　☎03-3520-9614（編集）
普及部　☎03-3520-9630（販売）

京都本部　〒601-8411　京都市南区西九条北ノ内町11
PHP INTERFACE　https://www.php.co.jp/

組　版	有限会社エヴリ・シンク
印刷所	大日本印刷株式会社
製本所	株式会社大進堂

ＰＨＰ文庫

最強の教訓！ 世界史

決して「戦略」を見失わず、ドイツ統一を達成したビスマルク。片や連戦連勝なれど戦略を見失い失敗した上杉謙信――偉人の叡智に学ぶ。

神野正史 著

定価 本体九〇〇円
（税別）